A BEASTLY MENAGERIE

X-Knowledge

サー・ピルキントン=スマイズ
岩井木綿子 訳

世界の奇妙な生き物図鑑

A BEASTLY MENAGERIE

X-Knowledge

A BEASTLY MENAGERIE (aka. ANIMAL ALMANAC 90546)
by Sir Pilkington-Smythe

Printed In China

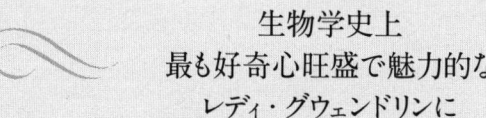

生物学史上
最も好奇心旺盛で魅力的な
レディ・グウェンドリンに

世界の奇妙な生き物図鑑｜もくじ

第4章
爬虫類

第5章
鳥類

第6章
哺乳類

はじめに

ぽつんと浮かんで虚空を巡る小さな球体。この場所を私たちは我が家と呼んでいる。ここをパイプやスリッパをしまっておく場所に選んだのは私たちだけではない。私たちは幸運にも、さまざまな種類のすばらしい隣人に恵まれている。ペットの犬たち以外にも、そばに寄り添ってくれているものたちがいるのだ。窓の外をちょっとのぞいてみてほしい。風変わりで驚くべき種々雑多な生き物たちが走り回っているから。クジラを食う虫や人を食うトカゲ、宙を舞うヘビやまったく飛べないハエ。宇宙の真空中でも生きられる生き物もいれば、アリの頭の中で暮らす生き物もいる。船をやすやすと沈めてしまえるほど大きなものから、まつげの上で生活できるほど小さな小さなものまで。この愉快な惑星には、まるまる１冊の書物にも収まりきれないほどたくさんの奇妙な生き物たちが存在している……おかげでこの本もそこそこ貧弱ではないものになった。

「何をそんなにじろじろ
見てるんだい?」

ここで自己紹介をさせていただきたい。皆様の御用を務めますのは、サー・ピルキントン＝スマイズ、眼識豊かで話術も巧み、美食を愛し、女性を愛し、喧嘩を愛し、パイプ煙草を愛する人間です。また、同業の学究の徒と共に私が所属する団体についてもご紹介しましょう。知る人ぞ知る不思議議纂録協会。イギリスでは教養ある方々から過分なる声望を頂戴しております。さて、この場をお借りして特に申し上げておきたいことは、親愛なる読者諸氏がこの書物をお手に取ってくださったことに対する感謝の念であります。きっと学識の高い立派な方々であるに違いありません。

◀ 皆様、こちらがすばらしいテングザル君です。
詳しくは 158 ページをご覧ください。

「私がいったい何者か、みなさん全然見当がつかないほうに５シリング賭けてもいいね」

息を飲むような美しさにあふれた小動物たち。82ページに登場するこの魅力的な生き物もそのひとつです。

それは人知れずそっと始まった……

最初の大騒動で地球が生まれるのとほぼ同時に、分子同士がかちゃんぴたんと衝突し、より複雑な分子がつくられていきました。この複雑な分子が、驚いたことに自己複製を始めます。これが私たちの地球における生命の誕生です。やがて、この泡のような生命の先駆者たちは、ありとあらゆる不思議な形に進化していきます。あまりに不思議すぎて、現在の人間の想像力ではとても思いつけないようなものたちです。実用新案を取った掃除道具のような姿で５つ眼のぶよぶよしたもの、竹馬に乗ったミミズのようなものなどもいました。多くの生き物はなかなかうまく環境に適応できませんでしたが、なかには非常に成功するものも現れます。長い年月が流れ、生き物たちはそろそろと水の外に這い出してきます。初めは小さなぬらぬらした生物たち。やがてより大きな魚たちが続きました。目の前にさまざまなチャンスが広がるのを見た彼らは、それらに適応すべく変貌していきます。カエルのようなもの、パタパタ羽ばたくもの、トカゲのようなもの、温かい血液を持ちふわふわしたもので身体を覆ったものなど、あらゆる奇妙な形が試されます。

奇妙なものたちは決して現状に満足せず、さらに奇妙なものへと変化していきました。カエルのようなものたちからは、オオサンショウウオやミミズのような不思議な生き物が生まれました。トカゲのような生き物は、神秘的なモンスターや血しぶきをほとばしらせる気味の悪いものたちに姿を変えていきます。吸血鬼となった鳥や自分たちの糞で山をこしらえた鳥もいました。他のものたちの成功に目を見張ってきた哺乳類も、満を持して変貌し始めます――ゴージャスなお尻を進化させるもの、おしっこを使って城を築く方法を考え出したもの、酔っぱらいのネズミ、海に戻って何やらよからぬことを企むリバイアサンなどです。なかには直立した尾のないサルになったものまで現れました。

このささやかなコレクションを、皆様に楽しんでいただければ幸いです。そして、ほんの１点にしか見えない、空っぽの宇宙をふらふらと巡っているちっぽけな星を私たちと共有している奇妙で愉快なものたちについて、少しのあいだ思いを馳せていただけることを願っております。

サー・ピルキントン＝スマイズ

第1章

1

無脊椎動物

最初に地球上に現れた生物には背骨がなかった。千態万状奇妙キテレツな姿をした我らが先達たちの住処は海中。ウニ、カイメン、クラゲ、その他とても名前を挙げきれないほど多種多様なくねくね動く動物たち。やがて、ただ水中でパシャパシャしているだけのいつまでも代わり映えのしない生活に飽き飽きした一部の動物たちが、かさこそと陸上に上がり始めた。

陸に上がった動物たちは大繁栄。当然、それまでのようなぶよぶよふにゃふにゃの身体ではなくなり、さらに珍妙さに拍車がかかる。実際に刺すための針を持ち、そいつに刺されたら最後、生まれてこなければよかったとあなたに思わせるほどの昆虫。悪魔の首領ベルゼブブでもこいつを見たら恐くて泣いてしまうだろうというような姿のクモ。犬サイズのカニ……。

この章にはそんな無脊椎動物たちが登場する。彼らは決して「骨のない奴ら」ではないのでご注意を。

アイスランドガイ

ARCTICA ISLANDICA

北大西洋の深い海の底に、黒い二枚貝が住んでいる。この薄黒い貝にはたいへんな栄誉が授けられている。驚くほど長命なのだ。だが彼に、ずいぶん長生きですねなどと声をかけてはいけない。本人はまったくそのことに気づいていないのだから。

アイスランドガイ。別名マホガニークラム。でも、あなたが彼をどう呼ぼうと、彼には興味ないだろう。

プラスアルファ

これまで地球上で発見された動物のなかで最も高齢なのはアイスランドガイだが、その他にも注目すべき動物がいる。北極海のあるカイメンは、1550年前からそこに生息していたと考えられている。またサンゴのなかには、さらに昔にまで遡れるものがいるという。ただし、カイメンやサンゴはごく小さな個体が何百も集まってコロニーをつくっている。個々の個体は、人体の細胞と同じように生まれては死んでいくので、彼らを最も高齢の動物と呼ぶのはいささか見当外れだ。

この400年間、この貝は、北大西洋の暗い深海底に横たわっていた。しかし、その間に起こった世界の変化に彼はまったく気づいていない。

世の中で起こる出来事について常に最新の情報をキャッチしようと思うなら、聴力がないことはかなりのハンディキャップだ。耳がない彼には、彼が生まれたころ、虫歯に悩むエリザベス1世が大英帝国の王権を握り、駆け出しの劇作家ウィリアム・シェイクスピアが羊皮紙に鵞ペンでものを書き始めていたのだと聞かせてやることもできない。彼は、ニューイングランドを目指して出帆するピルグリムファーザーズを目撃したかもしれない。だが彼は、トマス・ジェファソンが独立宣言に署名したことにも、ベートーベンが交響曲第9番を書きあげたことにも気づかなかった。電話の発明、ペニシリンの発見、原子爆弾の開発、ふたつの世界大戦……。正直なところ、彼の生涯に起こった数々の歴史的事件に彼が興味を持つことはなかった。

ところがある日、ウェールズのバンガー大学からやってきた研究者たちが、アイスランド北方の海域で彼を発見する。研究者たちは毎年年輪のように大きくなっていく貝殻の層を数えた。何世紀ものあいだずっと成長を続けてきたにもかかわらず、彼の貝殻の直径はわずか8.9センチ。層の数は405あった（1年で1層ずつ増えていく）。彼は、400年以上ものあいだ、世の中のことには何も気づかないまま海底でじっとしていたのだ。もちろん、研究者たちはそのことを知るために、このかわいそうな彼を殺してしまったのだが。

アイスランドガイは北大西洋一帯で見られる貝だが、彼に会いに行こうとは思わないほうがよい。一緒にいても恐ろしくつまらない奴だから。

プラス
アルファ

「……誕生日が同じ人は、
やはり、いませんか」

飼育下の動物で最も長寿だったガラパゴスゾウガメは、残念ながら2006年6月に死んでしまった。オーストラリアの動物園で飼われていたこのカメは、なんと享年175歳。うわさでは、彼女は、チャールズ・ダーウィンが捕まえ、ぐるぐる巻きにしてビーグル号に積み込んだガラパゴスゾウガメのうちの1頭だったとか。ガラパゴスゾウガメは、雌雄を見分けるのがものすごく難しいことで有名。しかも、それまで誰も彼女の性別を確認しようと考えた人間がいなかったため、「彼」が実は雌だと分かり、ハリーからハリエットと改名されたのは、死の数十年前になってからだった。

その後、科学者たちは、なんと、本当に不死かもしれないという信じがたいクラゲの一種を発見する。ベニクラゲだ。このクラゲは、幼体の姿に戻るという芸当をやってのける。おとなが赤んぼうに戻ってしまうのだ。さらに、科学者たちによると、この奥の手は何回でも使えるらしい。ということは永遠に生きられるということだ。もちろん、まだ発見されて間もないので、彼らが本当に不死かどうか検証できるまでにはこれから長い時間がかかるだろう（というか、検証は永遠に終わらない）。

ヤシガニ

BIRGUS LATRO

いやなんともはや！　とにかくでかい！　大きいものは180センチにもなる！　カニ、と名のつくもののなかでは陸上で最大のヤシガニ君にご挨拶を。ただし握手はご容赦を。
信じられないかもしれないが、実は、彼はヤドカリの仲間だ。
そう、貝の家を背負って海岸をかさこそ歩き回るあの小さな生き物の一種なのだ。

ヤシガニは、名前の通り、ココヤシの実を食べるカニだ。ココヤシの実の厄介なところは、殻が硬いこと。それはそれは硬い殻をしている。だから、ココナツを割るためには力が強くなければならない。それはそれは強い力が必要だ。

しかし驚くべきことに、この辛抱強いヤドカリはハサミで殻をたたき割る。さらに、殻が特別硬い場合は、実を木の上に運び上げ、硬いものの上に落として割るという。

ちなみに、この非常に巧妙な技を用いるのは、何もヤシガニだけではない。ヒゲワシがカメの甲羅を割るときも、同じ方法を使う。カメにとってはもちろんあまり嬉しいニュースではないが、ギリシアの悲劇詩人アイスキュロスにとってもこれは残念なことだった。ペルシアの侵略者たちを撃破し、愛する故国から追い出すために勇敢に戦った詩人だが、空から落とされたカメに頭を割られて命を落としている。

ところでヤシガニは「泥棒ガニ」とも呼ばれている。小さな品々をこそこそ盗むのがたまらなく好きらしいのだ。ふだんはとてもおとなしいのだが光るものには目がない。不運にもこのこそ泥君に懐中時計を盗まれても、どうか取り戻そうとはしないでほしい。ヤシガニは厄介なのだ。問題は身体の大きさ。とにかく大きい。実際、外骨格を持つ陸上動物のなかでは最も大きいのだ。

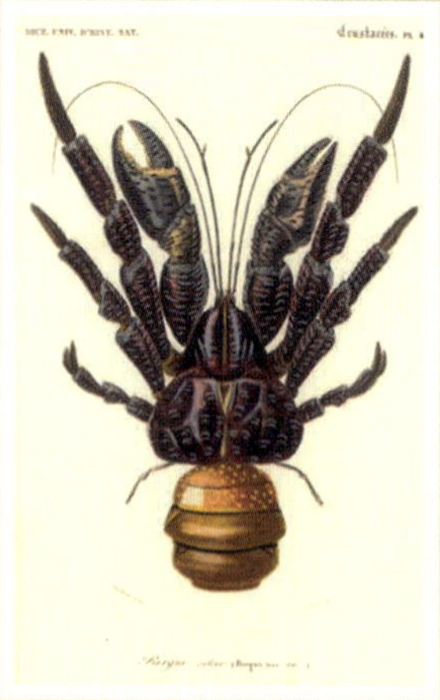

仮に、ヤシガニがこの図のようにお尻を下にして直立したら、ハサミは、ちょうどあなたの大事な部分の高さに来る。もちろん、そんなところに並ぶのは誰もが遠慮したいと思うだろう。

プラスアルファ

本当のカニで最大なのはタカアシガニ。巨大なカニで、脚がひょろ長い。成長すると差し渡し4メートルにもなる。標準的なトランポリンのサイズだ！

このカニがこれほど大きくなれるのは、水が身体を支えているから。水から出て身体を自力で支える力のない彼らには、陸上に進出しようという気はさらさらない。

静かに、落ち着いて遂行せよ

運悪くヤシガニに挟まれてしまったら、普通の人は大きな悲鳴を上げるだろう。だが、それだけでは彼はハサミを離してくれない。あなたがどんなに泣き叫んでも、残念ながら彼は何とも思わないのだ。離したくないと思えば、彼はいつまでもハサミを離さない。

しかしありがたいことに、地元の人たちは、このしつこいヤドカリのハサミを離させる策略を考案している。思い切りくすぐるのだ。これは非常に優れた方法だが、ひとつだけ難点がある。ココヤシの実を割って暮らしているこの生き物があなたの左脚を粉砕しようとしているときに、にっこり笑って「こちょこちょこちょ」と言いながら、そいつのお腹をくすぐるというのは、どう考えても尋常な人間ができる反応ではないという点だ。

「もしこれが棒ではなくあなたの
左脚だとしたら、くすぐれますか」

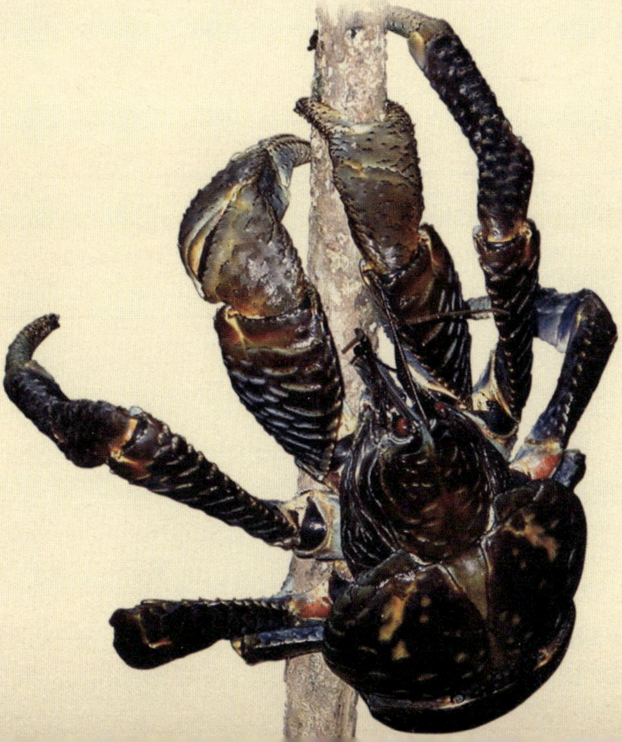

ボキャブラリー

外骨格

体内ではなく身体の外側にある骨格、つまり殻のことだ。生き物の戦略としてはたいへん優れている。身体の柔らかい部分が外側ではなく内側にあるので、さまざまな自然現象から効果的に身体を守ることができるからだ。また、襲ってくる捕食者からも身を守れる。成熟した節足動物のほぼすべてが外骨格を持っている。昆虫、クモの仲間、甲殻類、その他非常に多くの動物がこれに当てはまる。難点は、ごつごつしてあまり自由が利かないこと。だが、これもある意味ではよいことかもしれない。身体が硬いので節足動物はむやみに大きくなれないのだ（ゾウのように巨大なクモがいないのはそのためだ）。これを聞けばほっとされる方も多いのではないだろうか。

ココヤシを食べるということは、生態学的には、彼らがヤシの木に縁取られた白い砂浜でぶらぶらしているということを意味する。実に羨ましい。

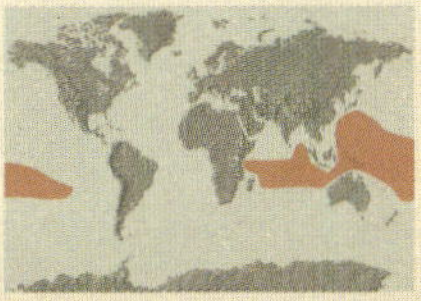

タンイーティングラウス

CYMOTHOA EXIGUA

他の動物の口の中に入り込み、宿主の身体の一部を壊死させ、その部分になり替わる寄生生物は、タンイーティングラウスをはじめとするウオノエ科の動物しかいない。宿主に致命的なダメージを与えるわけではないが、キスをしてもらえないかわいそうな魚が増えたとか。

招かれざる客。ウオノエがこの地球上で最も不愉快な動物であることはまず間違いないだろう。小さいけれど、まさに怪物だ。この甲殻類は、魚のえらの中に入り込み、口まで這い上がると、魚の舌の側面にかぎ爪を突き立てる。「タンイーティング（舌を食う）」と言っても、本当に舌を食うわけではない。この寄生生物に血を吸われると、酸素や栄養その他さまざまなものが行き渡らなくなり、舌の組織が萎縮してしまうのだ。

ウオノエは、そうして空いた空間に生涯居座り続ける。かわいそうな魚が食べている美味しいものを脇からこっそりいただいてもよさそうなものだが、なぜかそういう進化は遂げなかった。彼らはそもそも、このようなライフスタイルを僥倖（ぎょうこう）（魚口？）と捉えているのだろうか。

➤ タンイーティングラウス除去手術を終えたこのフエダイに、その苦しみを語るすべはもはや残されていない。

「僥倖というほどではありませんけどね、まあまあうまくやってると思いますよ」

ボキャブラリー

寄生

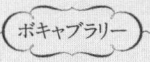

２種の生物が共生している場合のうち、一方の生物（寄生体）が、もう一方（宿主）を犠牲にしている場合を寄生と言う。寄生のしかたはさまざまだ。ノミなどの外部寄生体が宿主の体表に住みついているのに対し、内部寄生体は、宿主の体内に気持ちよく収まって生活する。宿主なしでは生存できないのが、絶対寄生体。他の動物の食料を横取りするものを盗み寄生体という。また、宿主の巣の中に自分の子孫を送り込んで、宿主の子に取って代わらせる育児寄生もある。寄生体にさらに寄生する重複寄生というものまである。育児寄生をする動物から食料を奪う盗み寄生体に重複寄生する外部寄生体の体内に寄生する絶対寄生体を説明する用語があるかどうかは不明。

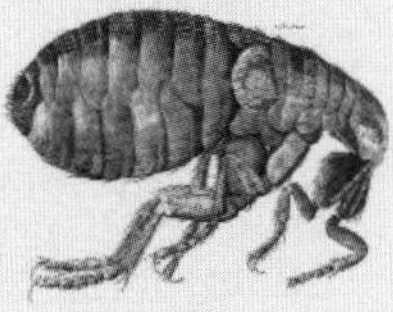

「ちょっと、おじさん。
もう一回言ってよ」

口がすべった

さて、こんなに恐ろしい怪物の話はしないほうがよかったのだろうか？　いや、それは違う。実は彼らは本当に驚くべき生き物なのだ。彼らは途方もない生物、いや、進化の頂点に到達した生物である。当然ながら、寄生生物はかなりの損害を与えながら宿主を利用して生きている。破廉恥なほど怠惰な、しかし悪魔のように巧妙な生き残り戦略だ。この生き方は、長い進化の歴史のなかでいろいろな生物によって繰り返されてきた。大きい生物でも小さな生物でも、寄生体をまったく宿していないものはほとんどいないと言っていいだろう。寄生生物として高度に進化したこのタンイーティングラウスは、宿主が通常の生活を送れなくなるほど宿主の資源を搾取したりしない。この小さな憎まれ者は、そうやっていつまでも搾取を続け、どんどんいやらしい子孫を増やしていく。これほどの寄生功者は他にいないと言ってよいだろう。

実際、これにいちばん近いのは人間の子どもかもしれない。母親の血液を利用して成長し、外に出てきてもたいへんな頭痛のタネ。頭がくらくらするほど高額な入学金を請求する学校に入れてやって、ようやく独り立ちの準備ができる。人間の親のほうがましだと言える点はひとつ。子どもたちがお礼のキスをしてくれるということだ。何百万もの微生物が含まれるキスを。そのなかの何匹かは寄生生物かもしれない。

タンイーティングラウスはカリフォルニア沖でよく見られるが、最近、イギリスの沖合で初めて発見された。誰かに招待されてきたのではないことは間違いない。

プラスアルファ

シラミは、すべての種類の鳥類と哺乳類（単孔類を除く）で見つかる寄生虫だが、タンイーティングラウスなどのサカナジラミは昆虫ではない。実は甲殻類である。魚に付く寄生生物についてはまだ解明されていないことも多い。「大海原を泳ぐ魚すべてに名前をつけることはできない」とある賢人が言っているが、その魚の皮膚をかりかり引っ掻いたり、その舌に化けて口の中に収まったりしているちっぽけな生き物たちともなればなおさらだ。

ニキビダニ属

DEMODEX SPP.

こちら、ニキビダニ君です。え、ああ、もうお知り合いでしたか……それはよかった。
あなたのお顔にお住まいで？　そうですよねえ、うかつでした！
それなら、あなたがまだ知らない方もご紹介しましょう。あなたです。

だいたいにおいて私たちは、自分のことをよく知っていると思いたがる。とは言え、私たちは、自分は誰か、本当は何者かよく分かっていない。ましてや私たちが何者に住処を提供しているかなど知るよしもなく、ニキビダニ（別名毛包虫）が私たちのまつげの根元に住んでいることを知らないのも当然だ。

節足動物（昆虫と甲殻類を含む外骨格に覆われた無脊椎動物）のなかでは最小の部類に入る。ありがたいことに、ニキビダニは、他の節足動物と比べると目に付きにくい。長さはおよそ1ミリの3分の1。殻のある大きな無脊椎動物が顔にべたべた群がるわけではなく、あなたのきれいなお顔を台なしにすることはない。

あなたの身体をスイートホームと呼んでいるものたちは、細胞の数にしておよそ75兆個。その一部がニキビダニだ。

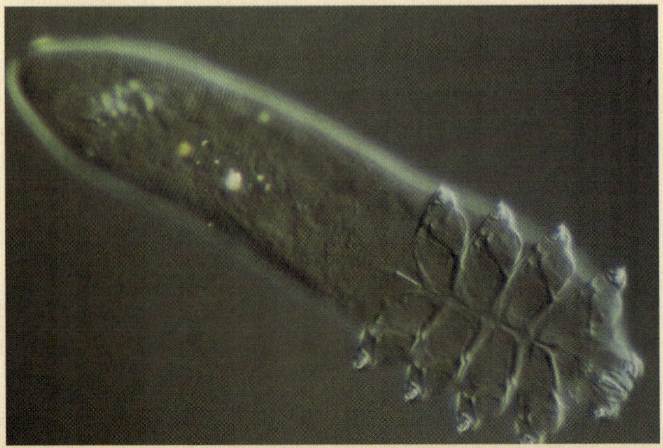

誰か、便乗していく？

ニキビダニは、あなたの皮膚にあるさまざまなものを食べる。剝がれ落ちた古い皮膚のかけらや脂などだ。彼らがいてもまったく迷惑にならない——そうでなければ彼らの存在に気づくはずだ——し、ほんのかすかなまつげの違和感以外、通常はまったく害をなさない。このような動物同士の関係を、学者先生たちは「片利共生」と呼んでいる。ある種の動物（この場合はニキビダニ）が別の動物と一緒に暮らすことで利益を得る。さらに寄生とは異なり、一方の動物が一緒に暮らしている動物の存在からまったく影響を受けない。私たちとニキビダニの関係は、サイの背中を跳ね回りながら虫を捕まえている鳥や、クジラの鼻先に付着しているフジツボと似ている。1日の終わりにニキビダニたちが何よりも楽しみにしているのは、眠りこけているあなたの顔の上をそぞろ歩くこと。ありがたいことに彼らはたいへん礼儀正しく、しかも非常に効率のよい消化システムを持っているので、排泄物をまったく出さない。そう、彼らがあなたの顔をトイレ代わりにするのではないかという心配は無用である。

だが、配慮の行き届いた動物だからという理由でこの小さなダニが本書のページを飾ったわけではない。私たちの少々活発すぎる想像力を刺激したのは彼らだけではないのだ。人間の身体は、平均するとおよそ10兆個の細胞で構成されている。ずいぶんな0の数だ（13個です、念のため）。あなたの身体を構成するその10兆個の細胞と共に、75兆個のあなたではない細胞が存在しているのだ。そう、いま、あなたの身体の中あるいは表面に、細胞の数にして7.5倍の別の生き物が住んでいるということだ。あなたは、わらわらとごったがえす生き物の塊、寄生虫、バクテリア、真菌、そして、ニキビダニの名で知られるまったく無害な愛すべきちび君たちの住処なのである。

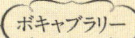

ボキャブラリー

片利共生

共生の１形態。共生とは、必ずしもプラスイメージの関係ではない。寄生も共生の一種だ。寄生の他に、相利共生というのもある。すべてがウィンウィンの関係の共生だ。片利共生は、ある動物が別の動物の身体で暮らしているが、宿主には何の影響も及ぼさないもの。お茶をしている私たちのまわりにいるお腹をすかせていない人、といった感じだ。

この小さな生物は、まつげがあるところならどこにでもいる。つまり、地球上ほぼ全域、ということだ。

アメリカオオアカイカ

DOSIDICUS GIGAS

体長2メートルで、信じがたいほど頭がよく、歯の並んだ触腕を持ち、何千匹もの大群をつくる。魚に飽きて、ヒトの肉を喜んで頂戴することも。地元の人々が、「エル・ディアブロ・ロホ（赤い悪魔）」、その他ここにはとても書けないような穢い名前で呼んでいるのも驚くには当たらない。

巨大な群れをつくり、欲しいものには何にでも襲いかかる。漁師やダイバー、仲間同士、水中カメラ、その他さまざまなものを襲っているのが目撃されている。さらに、群れで襲いかかるこの悪魔君の触腕には歯がびっしり付いている。その触腕で獲物をつかみ、引き裂き、鋭いくちばしのような口に持っていく。どう見ても愉快なことではない。メキシコ湾、ペルー北岸沖に生息する彼らだが、どんどん数を増やして北方に勢力を広げているという。今度海で一泳ぎしようというときには、周囲に十分注意を払っていただきたい。

以前はメキシコ沖でしか見られなかった赤い悪魔だが、現在、アメリカの海岸沿いを北上中だ。

イカは、タコと並んで実に頭のよい頭足類の仲間。頭足類は軟体動物の一種。つまり、カタツムリやナメクジ、ハマグリ、カキ、イガイと同じグループだ。もちろん、アメリカオオアカイカ君に、君はちょいと出世しただけの貝だなどと言って聞かせることはあまりお勧めできない。というか、相当な愚行だ。寿命が短いにもかかわらず、頭足類の動物たちは驚くべき知性を発揮する。道具を使うものや、遊びとしか思えない行動をするものもいるし、個性が存在することが見て取れるものも多い。アメリカオオアカイカには、お互いにコミュニケーションする能力もある。皮膚にある色素胞を使ってすばやく体表の色を変え、言葉の代わりにしている。ぴかぴか光るネオンサインのようなものだ。このイカたちがどんなことを話しているのかは誰にも分からないが、きっと何か穏やかでないことを言っているに違いない。

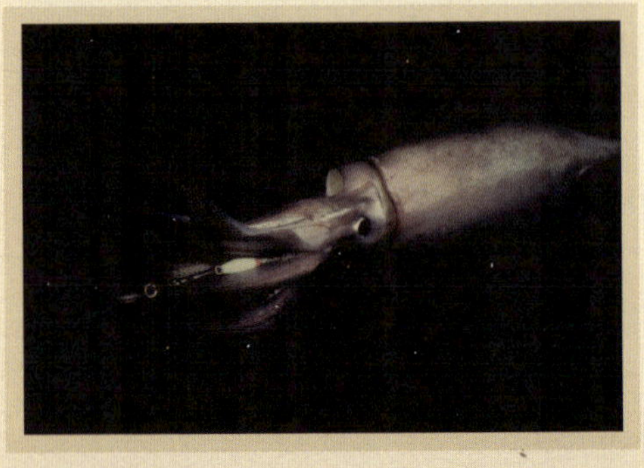

「え、おれの言ってることが分かるって？　そいつはちと近づき過ぎじゃないかい？」と奴は言っている。

ヒョウモンダコ属

HAPALOCHLAENA SPP.

ヒョウモンダコ属には、太平洋に住む３種（一説には４種）のタコがいる。とても美しいタコだが、同時に非常に危険な動物だ。１匹で８人の人間を死に至らしめるだけの毒がある。しかも、この毒には解毒剤が存在しない。

「色めき立ってるって？　あたしってとっても色鮮やかでしょ!」

８本足の刺客。稀代の美しさを持ちながら、大きさはゴルフボールほどしかない必殺の殺人者だ。だが彼らの姿が目に入っていても、それとは分からないかもしれない。初めは誰もこのタコがいることに気づかないだろう。それほど周囲に合わせたカモフラージュが巧みなのだ。だが、彼らをちょっと冷やかしてやろうなどと考えて近寄った瞬間、彼らは体色を、瑠璃色の輪紋が浮かぶ鮮やかな黄色に変化させる。華々しく、あなたに危険を知らせる警告色だ。

咬み付かれると、唾液腺に住みつくバクテリアが生成したさまざまなタイプの毒素が、ありとあらゆる方向からあなたの身体を襲う。そして数分後には呼吸ができなくなる。またたく間に身体は動かなくなり、あなたを咬んだ犯人があまりかわいらしいと今はもう思えなくなったあの曲者だ、と人に伝えることもできない。そうこうするうちに心臓も鼓動をやめてしまう。

助かる唯一の方法は人工呼吸だ。もしそれができなければ、残念ながら、あなたの命は食いしん坊のベッドに置き忘れられたビスケット並み。風前の灯火となってしまう。

ボキャブラリー

警告色

派手な体色で、自分がいかに不味い食べ物であるかを敵に知らせる。例えばヒョウモンダコは、鮮やかな黄色に体色を変え、輪紋も明らかにくっきりと見えるようになる。このようにけばけばしい体色の生き物の多くは、自分を食えばどれほど嫌な思いをするかを宣伝しているのだ。近頃流行のファストフード店もきっと同じことを考えているのだろう。

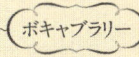

ヒョウモンダコは、オーストラリア、東南アジアの近海で見られる（もちろん、上手にカモフラージュしていない場合のみ）。

アオミノウミウシ

GLAUCUS ATLANTICUS

この青いウミウシの美しさに疑問を挟む人はいないだろう。
だが、その美しい仮面の下には残忍な殺し屋が隠れている。
言わば、海のファム・ファタール。

「ねえ、ちょっと、あたしをご覧になって」

アオミノウミウシは実にすばらしい生き物だ。裸鰓類と呼ばれる美しい動物の仲間。この仲間の華やかなウミウシたちは、その名の通り鰓が外に出ている。派手な色合いは有毒であることを知らせる警告のためだ。コケティッシュな彼をこの本で取り上げたのは、その毒を持つに至るプロセスの特異さからだ。実はこの妖婦、「水兵」を生きたまま食らう。実に凶悪な危険きわまりない「水兵」をだ。正確に言うと、英名「ポルトガルの軍艦」と呼ばれるカツオノエボシを食うのである。

44 〜 45 ページにある通り、カツオノエボシは、行き会った小動物を片端から殺していく。カーテンのように垂れ下がる触手にうっかり触れてしまった不運な人間にも、たいへんな災いが待ち受けている。しかも時には、この触手カーテンが何千何万と群れをなしているのだ。我らが妖婦、アオミノウミウシは、このカツオノエボシをまるごとむさぼり食う。カツオノエボシの身体からひらひらと伸びた触手の先端には、有毒の刺胞を蓄えた小さな袋があるが、アオミノウミウシはその刺胞まで食べてしまうのだ。そういうわけで、たいていのファム・ファタール同様、この男誑しをナンパしようと思うのは非常に危ないことなのである。

アオミノウミウシは、この他の浮表生物（海面にごく近い所で生きている不思議な生き物たち）も喜んで食べるし、チャンスさえあれば共食いもやぶさかではない。だが、この美しい殺し屋の不可思議なところはこれだけではない。彼女は海の表面を住処にしているのだ。ただし、海面に浮いているわけではないし、氷山のように海面から顔を出すわけでもない。ちょうど天井にぶら下がっているかのように、仰向けになって、下から水面に張り付いているのだ。

ボキャブラリー

浮表生物

海の表面に暮らす不思議な生物たち。泡のいかだに乗ってぷかぷか漂流する巻き貝や、小舟のように帆を備えて風任せに吹かれていくカツオノカンムリというクラゲなどがいる。

大海原の表面を閨房とするアオミノウミウシ。ひらひらの衣装でも困らないくらいの暖かい所ならば、世界中どこでも見られる。

キイロマルガシラシロアリ

GLOBITERMES SULPHUREUS

何と言うことか、彼らはスコットランド人よりも不味いものを食べている！
丈夫で大きな顎を持つシロアリたちにとっては、木片をかじるなどお茶の子さいさい。
その食欲はすさまじく、アメリカ合衆国だけでも年間50億ドルの被害である。

シロアリたちの社交場で、「ゴキブリ」とご親戚なんですねなどと口にするのは礼を失することだ。

相当控えめに言っても、地球上には信じられないほどたくさんのシロアリがいる。実際シロアリは全世界の生物体量の10％を占めている。もう少し分かりやすく説明しよう。世界中のすべての動物、植物、菌類、バクテリアを合わせた重さの10％ということだ。そのなかには人間も、海に住むすべてのプランクトンも、そのプランクトンを食べるシロナガスクジラも、全部含まれている。さらに、ジャイアントセコイアはじめすべての樹木、家畜や農作物、野生の動植物、その他命のあるものなら何でも含まれている。その重さは相当なものになるはずだが、なんとその10％はシロアリなのだ。

無理もないことだが、昔からシロアリはもうひとつの6本足の巨大勢力であるアリの仲間だと考えられてきた。だが、現在はそうではないということが分かっている。当世流行のDNA分析やら何やらで、シロアリは実はゴキブリと近縁であることが分かったのだ。つまり、私たちがこれからざっと展望していこうとしているキイロマルガシラシロアリは、きわめて社会的なゴキブリの一種というわけだ。ご存じかもしれないが、この奇妙な生き物は、襲撃してくるアリに対してすこぶる効果的な防衛方法を発達させた。ずばり、自分の頭を破裂させるのである。あとにはねばねばした物質が残り、敵はその上を歩いて越えることができない。自分の命を犠牲にして巣の仲間を守るのだ。なかなか見上げた奴だと思いませんか。

マレー諸島に行けば、彼らを観察できるが、頭をばっくり割ってしまわないように気をつけて。

プラスアルファ

東南アジアに住むオオアリのうち少なくとも9種に、頭を破裂させてべたべたした物質を出す行動が見受けられる。アリとシロアリは生物学的には近縁ではないので、このきわめて風変わりな習性をそれぞれ独自に進化させたということだ。

「さて、僕の頭はこれからどうなるでしょう?!」

ヒル綱

CLASS: HIRUDINEA

ヒルは血を吸う生き物というイメージは必ずしも正確ではない。彼らの大半は血を吸いもしない。多くのヒルは小さな生物を丸飲みにして食べているのだ。ヒルはミミズと同じ環形動物。だから、ヒルは高性能のミミズに過ぎないと言っても間違いではない。

9割方のヒルに吸血鬼的な性質はない。だが、血を吸うヒルたちはそういう生活に対して驚異的な適応を遂げている。もちろん、悪鬼のように恐ろしい存在として人々の注目を浴びるのは、血を吸う仲間たち、特にヨーロッパの医用ヒル（Hirudo medicinalis）だろう。このちゃっかり者は、身体の前部に吸盤があって、粘液と吸引力を使って気の毒な相手に吸い付く。それから、3つの顎で皮膚を食い破り、その下にある毛細血管に穴を開けるのだ。この段階でこの不届き者は、血液が凝固するのを防ぐ物質を注入し（一般に麻酔剤を使うと思われているが、それは誤りだ。彼にそんな思いやりはない）、赤くて美味しい液体をたっぷり吸う。

ただで食事をいただくずるい奴、と思われるかもしれないが、ヒルは、何百年も昔から瀉血（しゃけつ）という医療行為で活躍してきた。病気を治すために最も古くから行われてきた、血液を抜くという医術だ。メソポタミアから南北アメリカまで、この技術を用いてきた文化は多い。ヒルを使えば、ほとんど傷もつけずに容易に血を抜くことができる。そのうえ持ち運びも楽々。あまりに広く利用されたため、ヒルが採り尽くされて絶滅寸前にまでなったこともあるという。ヒル採りは史上最悪の職業だった。ただし、やり方は簡単。ズボンをまくり上げて、ヒルが脚に吸い付くのを待つだけだ。1日で2,500匹も採れたという。

プラスアルファ

もし運悪くヒルに食い付かれたら、そいつを潰したり、焼いたり、塩をかけたりしてはいけない。こうすると、ヒルが吐き出したものが傷口から入ってしまい、いろいろと厄介なことになるからだ。爪を頭部の吸盤の下に押し込んでこじ開けるように引きはがし、次に後ろの吸盤も同じようにはがして、振り払うのが最善。

ヒルは、環形動物のなかでも特に高度に進化した仲間。

「私が特に好きなもの。ほんのちょっとの上等なボルドー産クラレ」

素足でヒルを採る。間違いなく史上最悪の仕事だ。

ヒルはフランス人を征服する

もちろん、高等ミミズに血をすすられながら、冬のさなかに池の中に立っているというのはまったく楽しい仕事ではない。だがそれだけではない。ヒルは人を殺すこともあるのだ。アラビアのシナイ半島に遠征したナポレオン軍の兵士たちは、飲める水は手当たり次第何でも飲んだ。そのとき一緒に飲み込まれたヒルが体内で膨れあがり、フランス人たちの気道を塞いでしまったのだ。さぞかし苦しかったことだろう。

ヒルの利用法でおそらく最も秀逸なのは、その名も「大嵐予知器」。ジョージ・メリウェザー博士の作になる嵐を予報するという注目すべき装置だ。嵐の接近を感じると、ヒルは高い場所に移動する。独創的な発想の持ち主だったメリウェザー博士は、この習性を利用し、「大嵐」が近いことを警告しようと思い立った。ごく細い鎖につながれたヒルたち（メリウェザー博士は、彼らを「我が自然科学の顧問団」と呼んだ）がガラス瓶のてっぺんまで這い上がり、レバーに軽く触れる。すると、鐘が鳴って、誰もが嵐の接近に気づくという仕掛けだ。というわけで、ちょっと拡大解釈すれば、好きなカクテルがブラディマリーなだけと言えないこともないこのぬめぬめ君。どちらかと言えば、よい奴だと私たちは思っている。いろいろな分野の学者先生たちも、ヒルは、人から奪うものよりも人に与えてくれるもののほうが多い生き物だと考えている。

ヒルは、世界中あらゆる場所に住んでいる。なんと南極大陸にもいるのだ。

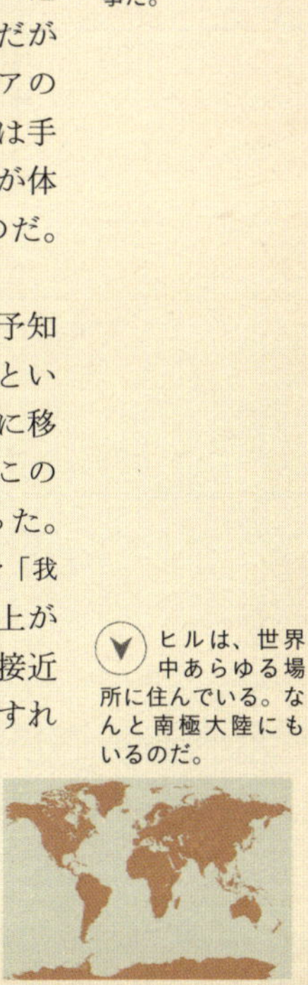

マンシュウイトトンボ

ISCHNURA ELEGANS

トンボ目の昆虫は学名で *Odonata*。歯の生えた顎という意味だ。そのひとつがイトトンボ。
顎に歯が生えているのも当然。彼らは肉食、昆虫界の猛禽類である。
この虹色に輝く鎧に身を固めた複葉機は、天空から舞い下りて虫を捕らえる。
ところが英名の damselfly（damsel とは乙女）の通り、思ったほどのタフガイではない。

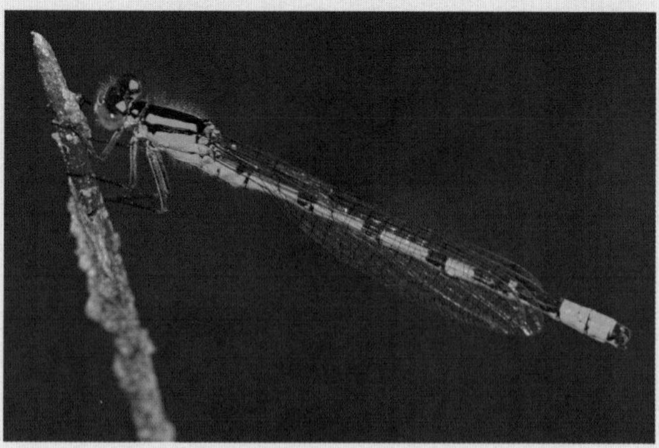

小さな昆虫たちにとって恐るべき殺人マシーン。彼の悪口は絶対口にしてはならない。

この昆虫ハンターに本書への登場を願った理由は何か？　それは、放っておくと雄のマンシュウイトトンボが見せる、一風変わった行動のせいである。行動範囲内にご婦人が1匹もいなくなってしまうと、彼らは雄同士で求婚を始めるのだ。驚くべきことに、ふさわしい相手を見つけるため、一生懸命求愛ダンスまでする。だが、この現象を研究していた科学者たちにはあまり先見の明がなかったらしく、雄たちが居心地のよい家づくりに取りかかるかどうかまでは確かめなかった。

この同性同士の性的行動にはごく健全な生物学的理由が存在すると言っても驚くに当たらない。雌のイトトンボの体色はさまざま。しかも、交尾は一生に1度だけ。雄に対してきわめて冷淡で、うるさい雄の群れにつきまとわれるのを避けるためならど

プラスアルファ

動物界では、同性同士での性行動はごく普通に見られる。実際、ホモセクシュアルな行動を絶対にしない種は存在しないと言ってもよい。

んな苦労も惜しまない。彼女たちにとっては、昆虫をむしゃむしゃ食べることのほうが重要なのだ。雄からの注目を避けたいがため、雄に似た姿をしたものまでいる。そうなのだ！　雄のイトトンボがご婦人のような振る舞いをさせられるのは、ご婦人方が男のような振る舞いをするからなのだ！　いやはや、なんてこった！

ボキャブラリー

トンボ目

庭園でよく見かけるトンボは、イトトンボよりも少しずんぐりしている。しかし、この２種類の戦闘機を見分けるもっとよい方法がある。イトトンボは、とまっているとき、羽根をそろえて身体にくっつけているが、トンボは飛行機の翼のように羽根を広げている。

少年が乙女に

もちろん、人間の「機会的同性愛」とイトトンボの同性相手の求愛ダンスを比較するなんてくだらないことだ。けれども私たちは、もともとくだらない話を集めた本をつくろうとしているわけで、ここはひとつ、ちょっとばかげた話もしてみよう。ご存じのように、究極のタフガイでもこのような行動に走る例はある。信じられない？　それならコルディッツ城の話をしよう。この城は、第二次世界大戦中、ナチの捕虜収容所になっていた。もちろん、コルディッツ城から決死の脱出を試みた勇敢な捕虜たちの武勇伝は有名だが、それとは別に、あまり語られることのないエピソードが伝わっている。

日々の無聊をしのぐために、捕虜たちは芝居を上演していた。芝居には当然女性も登場する。最初の芝居では、歌声の美しいちょっと女性的な若い兵士（名誉のために名前は伏せておく）が女性役に選ばれた。この兵士がその後の芝居でもずっとヒロイン役を務め続けるうち、しだいに捕虜のなかで彼に熱を上げる者が出てきたのだ。やがて、彼の元には贈り物が雨あられと届けられ、彼を通すためにドアを開けて押さえておく者も現れた。そして、女性を前にした紳士のように、彼の前では帽子を脱いだのである。

「ちょっと待て！　あんた、タカコじゃなくてタカシだな！」

マンシュウイトトンボがいるのはヨーロッパ各地やイギリス。ちょっとアングラな酒場を覗いてみてほしい。

オブトサソリ

LEIURUS QUINQUESTRIATUS

サソリに刺されて亡くなる人の数は、ヘビに咬まれて亡くなる人の10倍。だが、オブトサソリは普通のサソリではない。普通のサソリよりもはるかに剣呑なサソリなのである。

ただのクモでは、あなたの奥さんを気絶させるには不十分と考えたのであろうか。背中に、死を告げる大きなとげを持とうと考えるものが出てきた。彼らは、イングランドのケント州シェピー島以南ならほとんどあらゆる場所で見かけられる。モンスターとはまったく縁のなさそうなイギリスにもサソリはいるのだ！　南極大陸とニュージーランドを除く北緯49度以南の土地には、必ずサソリが住んでいる。

大半のサソリの毒性はミツバチと大差ない。約2,000種のサソリのうち、危険なレベルの毒を持つものはわずか50種ほど。さらにこのうち、人間の命にかかわるほどの量を作り出せるのは約半数。それでも、毎年のように世界中で多くの人がサソリに刺さ

このバケツの中に、あなたの大切な部分を入れようなどと考えてはいけない。

オブトサソリとの遭遇を避けたければ、北アフリカやアラビア半島の砂漠地帯に行かないことだ。

れて亡くなっている。しかもその4分の3は、たった2種のサソリが原因。ストライプバークスコーピオンと我らがオブトサソリである。

問題は彼らの毒液の強さ。毒液には、LD50の非常に低い神経毒が何種類も含まれている。この世には毒性のあるものがたくさんあり、毒物学者は、それぞれの毒性を数値で表している。LD50とは50％致死量。実験動物の半数が死ぬ毒物の量のことである。ちなみに、砂糖のLD50は、30g/kg。体重75キロの人ならば2.25キロだ。これだけの量を経口摂取すれば、ずいぶん甘いお茶だねなどと言ってはいられない。命を落とす確率が非常に高いのだ。

君の毒はどんな毒?

人は、200グラムの食塩を摂取すると死ぬ。カフェインを13グラム摂れば、目が冴えるどころではない。たちまち永遠の眠りにつくことができる。LD50が約0.000075ミリグラム（ごくごく少量）という、地球上最も強力な毒は、ボツリヌス菌の毒素だ。それを、肌を若く見せるために、お年を召した女優さん方が顔に注射するというのだから驚きだ。

オブトサソリ君はどうだろうか。残念ながら、彼の毒の明確なLD50値を出すことはできない。オブトサソリは毒液に何種類もの毒物を混ぜてリスク分散型の投資をしているからだ。学者先生たちは、現在この毒を脳腫瘍や糖尿病などさまざまな病気の治療に利用している。

人助けをする史上最強の殺人鬼、それがオブトサソリ。

プラス アルファ

サソリのように剣呑な動物相手が交尾をするのは、なかなか厄介な仕事だ。まず未来のカップルは、お互いに相手が餌ではなくて恋人だと認識しなければならない。それから、雄が雌のハサミをつかみ、プロムナード・ア・ドゥと呼ばれるちょっとしたダンスを始める。読んでいる分にはとてもロマンチックだが、リッツ・ホテルでキャンドルを灯したテーブルを挟んでふたりで見つめ合うのとはわけが違う。雄は、精子の入った袋を置く場所を探して、雌を引っ張り回しているのだ。よい場所が見つかると、彼は精包を地面に置き、その上に雌を乗せて身体に取り込ませる。そのときになって2匹は、自分が最も危険な生き物相手に愛を交わしていたことにはたと気づく。そして大慌てで逃げていく。興味深いことに、他の蛛形類（ちゅけいるい）とは異なり、サソリは胎生、つまり卵ではなく子どもを産む。1度に生まれる子の数は平均8匹前後。子どもたちは、最初の数週間母親の背中に乗って暮らす。

マダラコウラナメクジ

LIMAX MAXIMUS

学名は *Limax maximus*。意味は「偉大なナメクジ」！
夜行性で、身体に斑点のあるねばねば君。人の前腕ほどの大きさになることもある。陸上に住むナメクジでは最大級だ。けれども、単に大きいからという理由で本書に登場願ったわけではない。好色なウサギも顔を赤らめるような性生活を営んでいるのだ。

性生活の話は少し置かせていただきたい。この不思議なナメクジには、他にもいろいろと珍しい点があるのだ。もちろんナメクジには殻がない。少なくとも、はっきり目に見えるような殻はない。多くのナメクジには、進化の過程で退化した殻の痕跡が体内に残っている。「痕跡器官は、単語の綴りには残っているが発音されなくなってしまった文字に似ている」と、ダーウィンはうまいことを言っている。ナメクジはなぜ殻を持つことをやめてしまったのだろうか？　簡単に言うと、殻はごつごつとして邪魔くさく、しかも絶対に必要というわけではないからだ。天気が悪ければ（彼らにとってだが）、ナメクジは地中に潜って動き回る。異なる戦略を用いることにしたカタツムリは、自分の家の中に収まって丸くなる。

動きの機敏さも、彼がこの本に取り上げられた理由ではないのだが、マダラコウラナメクジは普通のナメクジの約3倍の速度でビュンビュン這い回ることができる。これは必要に迫られてのこと。彼はあまりサラダ好きではない。自分よりも動きの鈍い他のナメクジをもぐもぐ食べるのがお好みなのだ。

さて、お待たせしました。いよいよ、艶っぽいお話に入りましょう。彼らの放埒な夜は、ぺたぺたと身体中

ボキャブラリー

アポファレーション

交尾相手のペニスを食いちぎるという行為は、幸い、ナメクジ以外ではほとんど見られない。

▼ 動物界で最もエキセントリックな性生活を送っている動物としか言いようがない。なにしろ、セックスの最後に相手の愛の釣り竿を食いちぎろうというのだから。

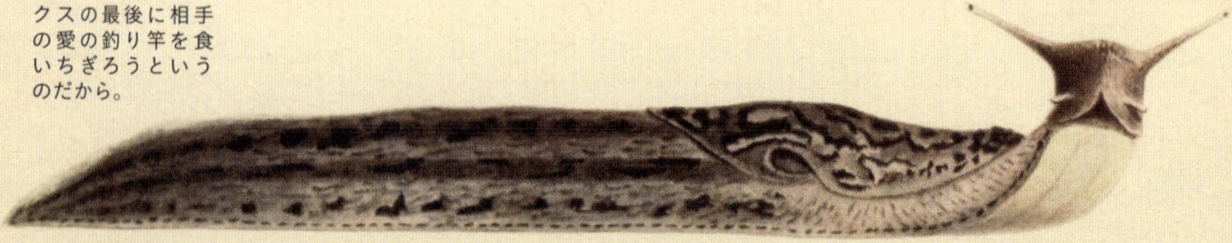

「ちょっと、一緒に一口いかが?」

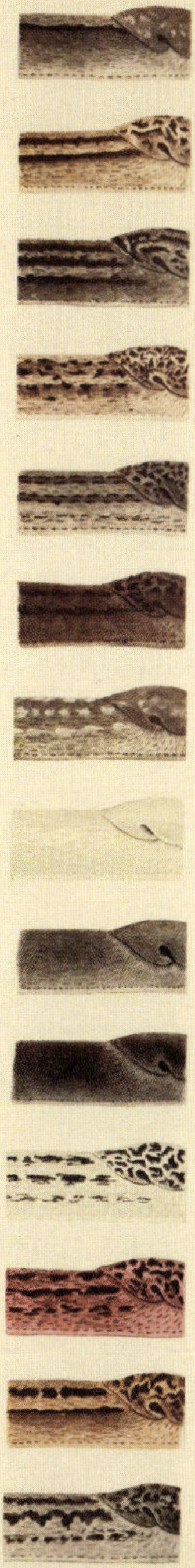

マダラコウラナメクジの色や模様はバラエティに富んでいる。好みの相手がいたからといって、デートなどしないように。

この大きなナメクジがもともと住んでいたのはヨーロッパの図中に示された地域。だが現在はアメリカをはじめ各地に生息域を広げている。

ボキャブラリー

ナメクジの殻

驚くべきことに、多くのナメクジが進化の過程で小さくなった殻の痕跡を体内に留めている。このように、機能しなくなった組織のことを、遺残構造という（105 ページ）。人間の虫垂もそのような組織のひとつ。

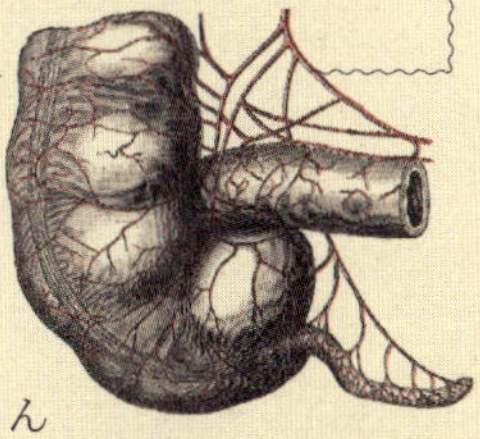

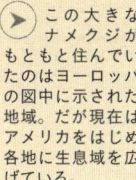

虫垂。盲腸のいちばん下の部分にくっついた、にょろにょろした虫のようなもの（図）。これも、人の体内に残る遺残構造のひとつで、何のためにあるのかは分かっていない。

にキスをしながらお互いの周囲をぐるぐる回り合うことから始まる。前戯に何時間もかけ、さんざんお互いに舐め合ってから、大胆な恋人たちは、木に登って身体を絡め合う。そして、ひも状の粘液にぶら下がって降りていく。宙にぶら下がり、ぐるぐる回転し始めると、2 匹の頭からそれぞれ巨大なペニスが伸びてきて、お互いにぐるぐると絡み合う。螺旋状にもつれ合ったふたつのペニスは、きれいな花のような形に広がり、そこで 2 匹は精子を交換する。時には、絡まったペニスがほどけなくなってしまうこともある。そうなると待っているのは最悪のシナリオ。一方のナメクジが、相手のペニスを食いちぎってしまうのだ。去勢されてもまだ交尾はできる。ただし、雌としてのみだ。幸い、このような事態に陥る場合はそんなに多くない。この狂瀾の一夜が終わると、2 匹は地面に落ちて、それぞれ、何千個もの卵を産むために暗い森の中に這って消えていく。本当に偉大な奴だ！

周期ゼミ属

MAGICICADA SPP.

英名は magicicada、マジックゼミという意味。
あ、心配はご無用。美女を輪切りにしたり、帽子からウサちゃんを取り出したりしませんから。
ちょいと神出鬼没なだけです。

セミは非常にうるさく鳴くことで知られている。そのため、コオロギやキリギリスの仲間だと思っている人も多いが、それは誤りである。鳴き声がうるさい昆虫だし、確かにキリギリスと似た声を出すセミもいるが、なにしろ数が多いので、ロック・コンサートの会場並みにやかましい。約 2,500 種のセミがいるが、そのなかで「マジックをする」と考えられているのはほんの数種類。これらの周期ゼミは、幼虫の姿で一生のほとんどを過ごす。小さな幼虫たちは、自分たちを美味いと思うであろう捕食者の目から逃れるために土の中で暮らしている。しかし、13 年または 17 年に一度、全員そろって突然、地下での生活にはもううんざりだという気持ちになるのだ。

「はーい、左袖には何も隠してませんよー」

魔法にかかったようなある春の宵、周期ゼミの若者たちは、集団で一挙に地上に現れる。ものすごい数のセミたちが声をそろえて求婚の歌を歌う。その騒ぎは数キロ先からでも聞こえるほどだ。雌は、受精し産卵すると死ぬ。それまでわずか 1、2 週間。卵から孵った幼虫は、13 年か 17 年のあいだ、再びみんなで出ていく日を地中で待つ。まさにマジック！

周期ゼミのマジックショーにはなかなかお目にかかれない。ショーが行われるのは、北アメリカの北東部だ。

ボキャブラリー

捕食者飽和

これほど完璧に繁殖のタイミングをそろえるのは、捕食者から集団で身を守るためである。もし毎年、しかも同時にではなく、それぞれのセミが自分の好きなときにてんでばらばらに出てきたら、食いしん坊の捕食者の群れに出会うのは確実だ。もちろん周期ゼミも捕食者に出会うことは出会う。爬虫類、鳥、リスその他、周期ゼミが好物という者は多い。捕食者たちは貪欲に、彼らを食い飽きるまで食う。けれども、周期ゼミは一斉に姿を現すので、すべてを食い尽くすことは不可能なのだ。

ツチハンミョウ

FAMILY: MELOIDAE

地球上で最も種の数が多いのは甲虫だ。信じられないかもしれないが、これまで人間が発見したものの約４分の１が甲虫なのである。生き物の４匹に１匹は甲虫ということだ。その数は何百万種。世界最大のサッカー・スタジアムに甲虫たちを盛り上げたら、何百杯にもなる。

数多い仲間のなかでも典型的な甲虫と言えるツチハンミョウ。毒液を持ち、それに触れると水疱 blister ができるので、英語では blister beetle と呼ばれている。ツチハンミョウ科のなかでも特によく知られているのがゲンセイ。ただしスペイン産でもハエの仲間でもない。催淫作用があることで有名だ。多くの人々に珍重された。だが残念ながら、これには相当な痛みが伴う。ゲンセイの水疱を引き起こす作用によって、尿道に炎症が起こり有痛性持続勃起症に至るのだ。

ツチハンミョウの出す化学物質は非常に毒性が強く、歴史上有名な人物が数多くこの毒で暗殺されてきたこともぜひ述べておかなければならないだろう。この毒で殺されると、恐ろしいのはもちろんだが、少々ばつの悪い死に方をすることになる。

ツチハンミョウは世界中に分布している。だが、すべてのツチハンミョウが全身腫脹を引き起こすわけではない。

ボキャブラリー

育児寄生

ツチハンミョウの幼虫は、なかなかけしからん奴だ。寄り集まってミツバチ大の塊になり、ミツバチの好む匂いを出す。ミツバチがやってくると、幼虫たちはその身体に引っ付いてハチの巣までただ乗り。そこで、ハチの子どもたちのために用意された美味いものをかたっぱしからむさぼり食ってしまう。

「いえいえ、この人たちのことは気にしないで……それで、誰が結婚したいって?」

彼を食おうなどと思ってはいけない。第一の理由は、彼がうんと言わないから。

ニュージーランドコウモリバエ

MYSTACINOBIA ZEALANDICA

空を飛べたらどんなにすばらしいだろう。私たちは時々そんなことを考える。だが、空を飛ぶのは重労働だ。地上にあなたを食おうという捕食者がまったくいなかったら、飛ぶことにどんなメリットがあるだろうか？　スイスイと空中を自由に飛び回るにはものすごい量のエネルギーが必要だ。それならいっそ森の中、地面の上をぶらぶら歩けばいいのではないだろうか？

ニュージーランドには飛ぶことをやめてしまった生き物がたくさんいる。もともと哺乳類がまったく存在していなかった土地に特有の現象だ。まったく飛ばなくなってしまったものもいれば、飛ぶ能力は残っているが飛ばないものもいる。さらに、空中で飛びながらそそくさと餌を食べるという困難な作業をやめてしまったものもいる。太平洋に太陽が沈み、長い１日が終わると、ツギホコウモリ（現地の人はペカペカと呼んでいる）たちは、墨のようにまっ暗な空に飛び出していく。が、暗い夜空を長時間ひらひらと飛び回ることはしない。彼らが食べ物を探すのは林床。腹ばいになってかさかさと地面を歩き、林床を這い回っている美味そうな虫や小動物を捕まえては食べる。

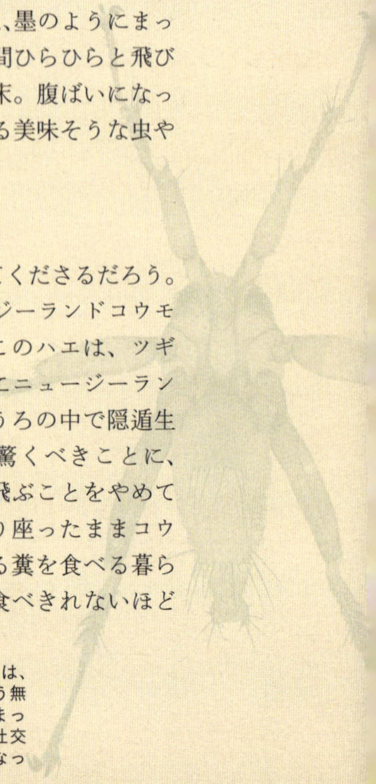

飛びません。「ハイ」ます

注目に値する奴！　きっとみなさんも同意してくださるだろう。いや、ツギホコウモリのことではない。ニュージーランドコウモリバエのことだ。このハエは、ツギホコウモリと一緒にニュージーランド北部の太い木のうろの中で隠遁生活を送っている。驚くべきことに、このハエは完全に飛ぶことをやめてしまった。のんびり座ったままコウモリの出してくれる糞を食べる暮らしを選んだのだ。食べきれないほど

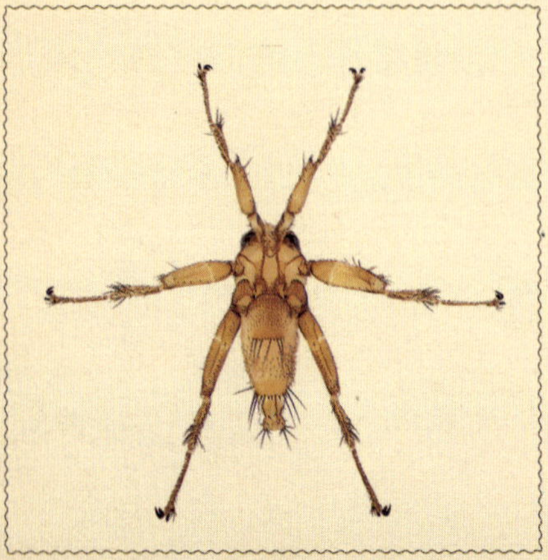

この驚異的なハエは、空を飛ぶなどという無意味な行動はやめてしまった。代わりに、彼らは社交生活を重んじるようになった。喜ばしい限りだ。

ニュージーランドの北の果てにある森林。ここで、コウモリとハエが楽しく一緒に暮らしている。

山のようなごちそうが勝手に上から降ってくる生活では、余暇がたっぷりある。まだトランプ遊びを楽しむほどまでは進化していないが、みんなで集まって愉快なおしゃべりの会を催していることは確かだ。コウモリのうんこを肴に交流を深めている。また彼らは、お互いに毛づくろいをしたり、身体をきれいに掃除し合ったりするのも大好きだ。うんこの上を住処としているだけに、なんと理に適った習性だろうと私は感銘を受けた。

ニュージーランドコウモリバエは、彼らの祖先たちと比べると、どんどん「ハエらしさ」を失う方向に進化している。実際、飛ぶ fly ことをやめたハエ fly ほどハエらしからぬものはない。彼らは、アリ（39 ページ、54 〜 55 ページ）や、シロアリ（23 ページ）、ハダカデバネズミ（148 〜 149 ページ）と非常によく似た階級制度のある社会を築き上げてきた。幼虫を世話するコウモリバエや、コロニーを護衛するコウモリバエが存在するのだ。というわけでまとめると、飛ばないコウモリと同居する、飛ぶことをやめてハエという存在を越えようとしているハエ……こんな感じだろうか。

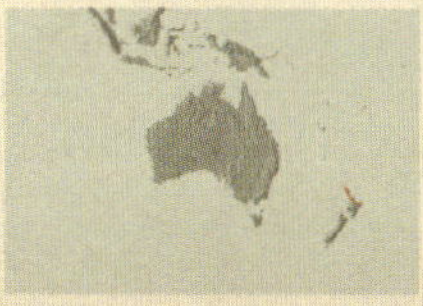

ニュージーランドの北端が、栄えあるニュージーランドコウモリバエ君の住処。

ボキャブラリー

階級制度

階級制度、学者先生たちの使いたがる言葉で言うと「真社会性（149 ページ）」の進化には、ぜひ特別に誌面を割きたい。階級制度とは、簡単に言うと、ある動物がグループ内でさまざまな職能を分担することである。多くの場合、子どもを産む能力のある女王が存在し、さらに肉欲には無関心な労働担当と兵士がいる。ダーウィンは、このようなシステムの進化の過程を「特別な問題」と呼んで頭を悩ませていたが、現在その謎は概ね解明されている。同じ遺伝物質を共有する血族のために、動物が自分の命を犠牲にするという現象はこれまでにも観察されてきた。その典型的な例が真社会性。血が水よりも濃いというのは本当なのだ。

キリアツメゴミムシダマシ

ONYMACRIS UNGUICULARIS

霧深い朝、キリアツメゴミムシダマシが、砂丘のてっぺんで尻を空中に突き出している。いやいや、前夜飲み過ぎたわけではありません。実は正反対。彼はのどがカラカラなのです。

水。とても大切なもの。生命の始まりも水の中だった。生き物が水中から出てくるまでに、気の遠くなるような時間がかかっている。我らが友人、キリアツメゴミムシダマシ君も、私たちと同様この物質が大好き。生息地のサン族の人々は彼らをトクトッキーと呼んでいる。交尾相手を引き寄せるために、尻で地面を叩き、そのような音を出すからだ。だが、彼らのすばらしい点は、臀部モールス信号でラブコールをするところではない。水を飲むために編み出した方法が秀逸なのだ。朝霧が海のほうから流れてくると、この甲虫は、尻を高く上げてそれを迎える。背中の甲には疎水性の溝になった部分と山になった部分とが交互に何列も並んでいる。キリアツメゴミムシダマシは、霧の水分を捕らえるような背中を進化させた。山になった部分に捕らえられた水分は、溝を伝わって小さな水滴となり、下に転がり落ちて、逆立ちしたキリアツメゴミムシダマシの口に自然に入るのだ。鮮やかな手際ではありませんか？

プラスアルファ

キリアツメゴミムシダマシの背中からヒントを得て、ある軍事技術の専門家はすばらしいアイデアを思いついた。小さなガラスの粒と蠟をコーティングしたものを何層も並べ、巨大な、しかも安価な霧を捕まえる装置を作り出したのだ。この装置のおかげで、乾燥した地域の人々に水を供給することができる。

「ずいぶんなお天気ですね。
私、傘を忘れてきました」

▼ キリアツメゴミムシダマシはナミブ砂漠で見ることができる。霧を集めているところに出会えるかどうかは運次第。

水

この液体の叙事詩的壮大さには瞠目すべきものがある。万丈の湖をつくり、陸地を流れる大河は、果てしないときをかけて硬い花崗岩の岩山をナイフのように切り刻む。無窮の大海原の深部には、いまだに私たちの想像を絶するものどもが潜んでいる。私たちの青い地球の表面は3分の2が水で覆われている。それだけに、水はほんのわずかしかないという事実には驚きを禁じ得ない。信じられないですか？　それなら、右下の図をご覧ください。

青で示した小さな小さなしずくが地表の水だ。湖や、川や、小さな水溜まり、海、そして氷。全部集めてもこれだけにしかならない。言った通りでしょう。そう、これしかないのです。幸いなことに、私たちはこの物質をそれほど粗末に扱っているわけではない。

私たちが知る限りすべての生命にとって、水はなくてはならないものだ。水は、ありとあらゆる奇妙な生き物たちに生活の場を提供し、生き物たちは、さまざまな方法で水を利用させてもらっている。生命は、水の溶剤としての力や化学的な性質に依存しているのだ。それを考えると、水は本当にありがたい存在だ。また、氷が水に浮くという性質も、実は私たちに大きな恩恵を与えてくれている。さして重要なことと思われないかもしれないが、もし氷が水に沈むものならば、地球はたちまち巨大な氷のボールと化してしまうと聞けば、あなたも認識を改めるはずだ。

さらに、役に立つ水の性質が、地球にとって重要であるばかりではないということも分かってきた。いくつかの惑星で、水が確かに存在することが明らかになったのである。実際、宇宙には、水のある惑星が無数に存在する可能性がある。なにしろ、水は、水素と酸素という宇宙で最もありふれたふたつの元素からできているのだ。他の惑星にも水があるということになれば、地球外生命体の存在も必然的なものかもしれない。

かつて各国政府は、石油のために戦争を起こしてきたが、いよいよ深刻になってきた人口危機を考えると、次の戦争は石油よりもはるかに大切な液体資源をめぐって行われることになるかもしれない。さて、ここらで私も1杯いくとしますか。

ボキャブラリー

ハイドロフォビア

疎水性。水を疎ましく思うこと。疎水性のある物質の表面では、草の葉に降りた露のように、水が小さな水滴になる。ハイドロフォビアにはもうひとつ、動物が水を恐がることという意味もある。恐水症、つまり狂犬病のことだ。動物に咬まれて起きるこの病気の特異な点は、水が飲めなくなるということ。コップ1杯の水の存在で、狂犬病の患者はパニックの発作を起こす。

◀ この40年間で、中央アジアにあるアラル海は10％も面積が小さくなってしまった。

ホネクイハナジルバナワーム

OSEDAX MUCOFLORIS

この花をガールフレンドにプレゼントしても喜んではもらえない。絶対に。ホネクイハナジルバナ（骨食い鼻汁花）は花ではなく、典型的なゾンビワームなのである。ゾンビというあだ名で呼ばれるそのわけは、死体のように生気なくよたよたと歩くからでも、脳みそのテリーヌが好物だからでもない。だが、彼らは確かに死体を好んで食す。

「クジラが降る」。「雨が降る」のと似ていなくもないが、こちらのほうが少し大ごとだ。クジラが死ぬとその身体は海底に沈み、おびただしい数の小動物たちが大宴会で浮かれ騒ぐことになる。海底にぽつんぽつんと点在するクジラの死骸は、深海底に住む動物たちにとってはオアシスのようなものだ。ありとあらゆる種類の肉食動物たちが集まってくる。カニ、コシオリエビ、オンデンザメ。なかでも特にすてきなヌタウナギ（80～81ページ）。見るもおぞましい狂躁が繰り広げられる。クジラの肉がすっかり食い尽くされ、骨がむき出しになったところで、いよいよゾンビワームたちの出番である。彼らは、まるで悪霊の世界から来た花のように、骨にしっかりと根を張る。骨の外側の硬い部分を割ると、なかには脂肪のたっぷり含まれた骨髄が詰まっている。彼らはその美味しい中身をむさぼるのだ。

ホネクイハナジルバナワームの繁殖は季節を問わない。雌は、体内にたくさんの雄を囲っているので、次から次へ卵を受精させることが可能なのだ。受精卵は、どうかどこかで肉が食い尽くされたクジラの死骸と巡り会えますように、と祈りをこめて海中に放たれ、海流に乗って漂う。タンポポの綿毛のゾンビワーム版だ。

プラスアルファ

発見されてから10年ほどしか経っていない。以来、命名されたゾンビワームは6種。だが19世紀末、クジラの数が激減し90％も減ってしまったときに、はるかに多くの種が絶滅してしまったに違いないと考えられている。

➤ ホネクイハナジルバナワームは花なんかではない。だが、花粉症に悩む人の鼻から垂れ下がった鼻汁に似ていることは確かだ。

➤ ホネクイハナジルバナワームは2005年に北海で発見された。だが、世界中に分布している可能性がある。

サシハリアリ

PARAPONERA CLAVATA

英語では bullet ant（弾丸アリ）。
刺されると、ライフルの銃口から出発し、時速2、3百キロであなたのお尻に会いに旅をしてきた
焼けつくように熱い鉛の塊並みに痛いと言われている。
残念ながら、そのうわさは真実だ。

シュミット痛み指数（41ページ）で世界一にランキングされていることも、このアリがどれほどひどい奴かを表している。1カ所刺されただけでも、吐き気、発汗、感覚の麻痺、悪罵、満座騒乱などの症状が現れる。サシハリアリに刺されると、本当に、本っ当に痛いのだ。ブラジルのサテレ・マウエ族の人々は、この手強い人類の敵を一人前の男になるための通過儀礼に利用している。彼らはこのアリを捕まえ、天然の麻酔剤で眠らせると、針を内側に向けてアリを編み込んだ手袋をつくる。若きサテレ・マウエは、保護のためにほんのちょっと炭を塗った手に、その手袋をはめるのだ。当然ながらその苦しみは耐えがたく、痛みは相当長く続く。幸い、この七転八倒の苦しみを伴う儀式はたった20回で完了。気の毒なサテレ・マウエの若者は、パニックも起こさずあまり大騒ぎもせずに耐える。

刺されれば銃で撃たれたような痛みを感じるほどの生き物が何百匹も編み込まれた手袋をはめるのはさぞかし痛かろう。サテレ・マウエの若者がみんなむっつりと不機嫌で、身体中に赤いぽつぽつができているのは、そんなわけなのである。

プラスアルファ

このアリで保温用衣類をつくるという不可解な習性を持つ、へんてこな大型の裸のサルを除くと、サシハリアリの唯一の天敵は菌類である。ノムシタケ属の菌類は、この小さな悪党の体内に入り、その頭のてっぺんから冬虫夏草と呼ばれるキノコを生やす。その過程でアリは死んでしまう。

もし、鉄砲で撃たれたような痛みを体験したくなければ、この地域には行かないように。

「よかったらおれのダチの『チェーンソー・ハムスター』も紹介するぜ」

オオベッコウバチ属

PEPSIS SPP.

タランチュラは大きく、醜く、咬む……誰が見ても、理想的なベビーシッターではない。だがオオベッコウバチは、なんとこの凶悪なならず者に好んで我が子を預ける。しかも、子どもを預ける前にそいつをへべれけにしておくという念の入れようだ。

オオベッコウバチはアシナガバチの仲間だが、ぎょっとするほど大きい。とてつもなく強力な針を持ち、シュミット痛み指数によれば、その痛さはサシハリアリに次いで第2位。その痛みは、「目の前が暗くなる、猛烈、電気ショックを受けたような痛み。入浴中の風呂に、動いているヘアドライヤーを放り込まれたときの感じに似る」と表現される。こんなものには絶対に刺されたくない。オオベッコウバチはタランチュラを捜し出すと、驚くべきことにこの怪物と格闘を演じる。そして、とどめの一発でノックアウト。タランチュラは前後不覚に陥る。どうしてこのようなことになるのか、この空飛ぶ暗殺者が何かフェロモンのようなものを利用しているのではないかとも考えられているが、正確にはまだ分かっていない。

さて、タランチュラが動けなくなると、オオベッコウバチはその身体の上を歩き回り、目的の種に間違いないかどうかをチェックする。確認の結果に満足すると、彼女は強力な神経毒を注入し、クモを巣穴の底に引きずっていく。そして、その身体に1個だけ卵を産みつけて、穴

ボキャブラリー

捕食寄生体

捕食寄生体は、不運な宿主の身体の上または体内である程度長い期間を過ごす。この点は普通の寄生と同じだが、寄生体とは異なり、必ず不運な宿主を殺してしまう。

オオベッコウバチは南北アメリカだけに見られる。他の地域のタランチュラたちはほっとしていることだろう。

「ミセス・オオベッコウバチは、美しい花束に目がない」

子どもはタランチュラを食うが、成虫になると甘い花の蜜を吸う。

年に１度のクモとハチのダンスパーティ。楽しい夜になること請け合い。

の入り口を塞いでしまう。クモは昏睡状態のままだ。やがて、卵から孵った幼虫は、タランチュラの腹に口を差し込み、カラカラになるまでその体液を吸い尽くす。

吸えるものがすっかりなくなると、育ち盛りの幼虫は次に取りかかる。クモの生存に必要な臓器だ。この段階でもまだクモは生きている。つまり新鮮である。だが、臓器を食われた段階でクモは死ぬ。これまで生きていたのは、残っていた臓器のおかげだったのだ。ごちそうが死んでしまうと、ハチの幼虫は、繭（まゆ）をつくって変態する……タランチュラを狙う新たな毒針マシーンの誕生だ！

驚かれるかもしれないが、この悪魔のようなハチも、おとなになるともうタランチュラを食わない。成虫は花蜜食、つまり、花が出す砂糖のように甘い物質を食べるのである。また、アルコール発酵した果実も非常に好きだという。

みなさんも、ぐでんぐでんに酔っぱらったオオベッコウバチには出会わないように気をつけてください。いや、気をつけるのはタランチュラ君だけでよいですかね。

プラスアルファ

シュミット痛み指数

伝説的な昆虫学者ジャスティン・Ｏ・シュミットは、膜翅類の昆虫（ハチ、アリその他）すべてについて研究し、刺されるとどれほど痛むかを記録するという困難な仕事に挑戦した。シュミット痛み指数をつくった人物だ。

指数１＿コハナバチ：軽い、瞬間的、ほとんど快感に近い。腕の毛が１本、ぱっと燃えた程度。

指数 1.2 ＿トフシアリ：鋭い、不意打ち的、少々注意を要す。けばの荒いじゅうたんの上を歩いたとき、電気のスイッチに手を伸ばしたとき程度。

指数 1.8 ＿アカシアアリ：稀有、突き刺すような、他とは一線を画する痛み。ホチキスの針を頬に刺されたような感じ。

指数 2.0 ＿クロスズメバチ：濃厚、激しい、少々歯ごたえあり。回転ドアに手を挟まれたときに似る。

指数 2.0 ＿スズメバチ：刺激的かつ煙でいぶしたような、ほとんど驕慢と言ってもよい痛み。

指数 2.0 ＿ミツバチ及びモンスズメバチ：皮膚の上でマッチを擦って火を点けた感じ。

指数 3.0 ＿アカシュウカクアリ：際だった、容赦のない痛み。肉に食い込んだ足の爪が、ドリルを使って掘り出されている。

指数 3.0 ＿アシナガバチ：苛性、燃えるような痛み。後に特有の苦みが残る。紙で切れた傷にビーカー１杯の塩酸を垂らした感じ。

指数 4.0 ＿オオベッコウバチ：目の前が暗くなる、猛烈、電気ショックを受けたような痛み。入浴中の風呂に、動いているヘアドライヤーを放り込まれたときの感じに似る。

指数 4.0 超＿サシハリアリ：純度の高い、強烈な、濃艶な痛み。長さ８センチの錆び釘が踵に刺さった状態で、赤く燃える炭の上を裸足で歩いたときに似る。

カギムシ類

PHYLUM: ONYCHOPHORA

英名は velvet worm。柔らかな肌が、ベネチア産の高級ビロードのように豪華で倒錯的な肌触りであるところからこの名がついた。しかし、この生き物が我が動物コレクションに優雅に滑り込んだのは、非常に洗練された、珍しい狩りの習性の故である。

ほら、カギムシが歩いていく。気取った足どりで、滑るように、森の中を。その姿は、ビロードの部屋着を着た足のあるミミズのようだ。彼が歩きながら何をしているかと言えば、くんくんと匂いを嗅ぎ回り、獲物を探しているのである。気の緩んだ隙だらけのカモを発見すると、彼は頭をもたげ、まるで原始のスパイダーマンのようにべたべたする物質を噴出する。獲物は、ねばねばの糸にがっちり絡め取られ、悪辣なるカギムシ氏は、その魔手にかかった犠牲者に有毒な唾液と内臓を溶かす酵素を注入。それから、適当な場所に咬み付くと、どろどろに溶けた中身を吸い尽くす……なんとすばらしい！　さて、すてきなブランチを済ますと、彼は、自分が吐き出したべたべたの物質もゆっくりと時間をかけてきれいに食べてしまう。次の不運な犠牲者のために再利用するのだ。

カギムシの住処は腐葉土の上。もちろん、住み心地のよいすてきな場所にするための手はずは整っている。

「それじゃ、応接間へどうぞ」

プラスアルファ

チャールズ・ウォルコットはひとつの時代を築いた人物だ。さまざまな方面で活躍していたウォルコットだが、1909年本業の分野で画期的な発見をする。発見したのはたくさんの化石。ウォルコットは知るよしもなかったが、後にそれらの軟体動物の化石は非常に特殊なものであることが分かる。当時それらの生物は、これはクラゲ、これはミミズ、などと、既知のさまざまな現生動物のグループに分類されていたが、現在は、それらが単なる絶滅種ではなく、グループ全体が今は失われてしまい現在子孫や仲間が存在しない動物たちであることが分かっている。幸い、これら奇妙キテレツな生き物たちのうち少なくとも1種は、現生動物のなかに類縁の動物がいる。「夢見心地のような」という意味のハルキゲニアという名前がぴったりのシュールな姿の化石はカギムシの仲間と考えられているのだ。

1910年から24年までのあいだに、チャールズ・ドリトル・ウォルコットは、バージェス頁岩（けつがん）類層から65,000個もの標本を収集した。彼の集めた化石は、しばしば「史上最も重要な化石群」と称される。

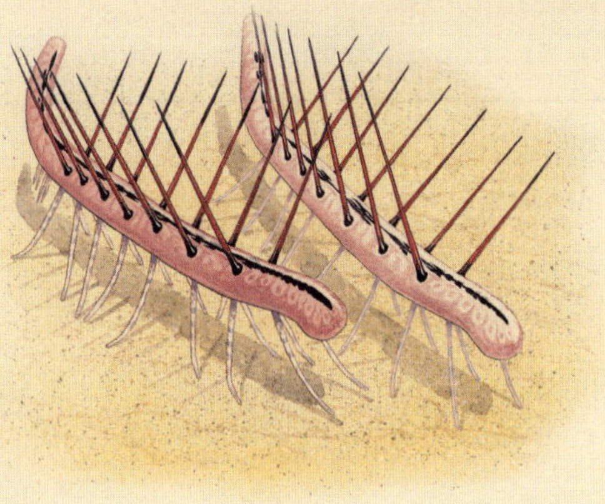

「人間って失礼よね」

ハルキゲニアがその他の不思議な仲間たちと共に化石層の中から見つかったとき、教養ある人々は尋常でない反応を見せた。彼らは鼻で笑ったのだ。

ボキャブラリー

胎生

動物が子どもを増やす方法には何通りかある。人間のような胎生の動物では、子どもの発生は母親の胎内で行われる。卵生の動物の発生は、卵の中。ニワトリやハリモグラの場合だ。卵胎生の動物では、母親の胎内にある卵の中で子どもが発生する。大多数のカギムシは卵胎生。しかし、卵生や胎生の種も存在する。

このような食事のしかたは非常にクモに似ているが、これは偶然ではない。科学者たちは、当初、カギムシをミミズの仲間と考えていたが、どうやらこの小粋な生き物は、蛛形類に非常に近い仲間らしいのだ。遠い昔、カギムシの仲間は線虫類とクモの共通の祖先だったのではないかという説を唱えている学者先生もいる。確かに、カギムシはこのふたつの生き物の性質を両方兼ね備えている。進化に関する憶測はさておき、下ネタ系の奇癖でこれは絶対に外せない、という話題をもうひとつ。その方面でも、カギムシは決して期待を裏切らない。その繁殖行動は非常に独特なのだ。

雄（ご婦人方よりもだいぶ小柄だ）は、繁殖相手を見つけたとたん、すぐに精子の入った精包を出して雌の背中に乗せる。正直、かなり手当たり次第に。雌の背中の精包は時と共に数が増えていく。いろいろな雄の精包がびっしりと背中に乗っている雌も多い。やがてそれらの袋は雌のわき腹から吸収される。血流に乗って適当に雌の体内を巡っているうちに、精子は精子を貯蔵しておく器官にたどり着く。受精はそこで行われる。

カギムシたちは、これ以外にもいろいろと奇妙な子作りの方法を用いている。卵を産む種もあるし、卵を体内で孵化させる種や、いきなり子どもを産むものもいる。

カギムシは不思議な分布のしかたをしている。だが太古の昔、大陸がどのような形でつながっていたかを考えれば、この分布のしかたにも納得がいくだろう。彼らがどれほど長いあいだこの惑星で暮らしているか、そこからも感じてもらえると思う。

カツオノエボシ

PHYSALIA PHYSALIS

この生き物には実に驚くべき点がある。いや、生き物たち、と言うべきか。
そう、こいつは単独の生き物ではない。異なる動物たちの集合体なのだ。
個々の動物はきわめて無力だが、協働すると非常に効率よく機能する。
こびとが集まって、1着のレインコートを着ているところを想像してもらうとよいだろう。

4種の異なるタイプの生き物が集まって一体のカツオノエボシになる。彼らが一緒に生活することに決めたとき、外見をどのようにするかについては相当激しいやりとりがあったらしい。最終的には、三角の帆を複数持つ昔の帆船で、ポルトガルの海軍でよく使われていたカラベル船のような姿になることで彼らの意見は一致した。

「ええ、もちろんですとも。ここ何年も、私ら、すごくいい感じですよ。秘訣はコミュニケーションかな」

◀ カツオノエボシの青色。そこから、「ブルーボトル」「ブルーバブル」など、さまざまな別称が生まれた。

▼ カツオノエボシが見られるのは、北はヘブリディーズ諸島、南はニュージーランドのあいだ。

この特異な生き物を形成するのは、それぞれ非常に特化した作業を行うクラゲ、というか個虫である。彼らの仕事はあまりに特化されているので、互いの存在なしには生きていけない。

カツオノエボシの各部分を構成する者たちも、すばらしいチームワークを見せてくれる。帆の役割を果たす浮き袋のような生き物、とげ針を持ち獲物を捕まえて引っ張り込む奴、獲物の魚などを消化する胃役の動物。そして、繁殖担当の生き物たちは、次世代のカツオノエボシたちが世界の海で暴れ回れるように、抜かりなく準備をする。

単独の生き物ではないので、カツオノエボシは普通のクラゲの仲間には入らない。実際にはクダクラゲという分類だ。また集合したがる性質は、1組の群体のなかだけに留まらない。この動物の寄せ集まり同士も仲良く集まって群れをつくる。結果として何千もの群体が巨大な群れになっていることもある。個々の群体は、長さ50メートルにもなる触手を引きずって大海原を浮遊している。触手には、致命的な毒を持つ刺細胞が並ぶ。この毒は神経毒。ものの数秒で魚を麻痺させる。時には人を死に至らしめることもある。刺細胞の頂部にある毛に何かが触れると刺胞が発射される。だからもし、この青い泡のようなものが接近してくるのが見えたら、さっさと彼らに道を譲ることをお勧めする。必ず、最後の最後の1匹まで通過したことを確認してほしい。

⮝ エルンスト・ヘッケルが多くの尊敬を集める博物学者であり、才能あふれる画家であることは間違いないが、描かれたモデルたちはしばしば「全然似ていない」という不満を抱く。

ボキャブラリー

軍艦

複数の帆を持ち大砲を備えた軍艦が生まれたのは16世紀。当時は相当恐れられる存在だった。実際、世界最強だったと言われている。ベースになったのはポルトガルのカラベル船。この船は、スピードと敏捷性を旨とする船で、大航海時代の探険の立役者でもあった。

クマムシ類

PHYLUM: TARDIGRADA

クマムシ、またの名は緩歩（かんぽ）動物。moss piglet（苔子豚）とも呼ばれる。
世界最高峰の山の頂から最も深い海の底まで、彼らは至るところにいる。
勘の鋭い読者諸氏は、クマムシが非常に小さい生き物ではないかと推測なさっているだろう。
その推測は正解。しかも、彼らは非常に魅力的な動物でもある。

クマのようなかわいい姿とよちよち歩きからその名がつけられた。彼らは、冬ごもりに備えてサケをたらふく食いまるまると太ったハイイログマのような格好をしている。すでに命名されている緩歩動物は千種。だが、未確認のものがまだまだたくさん存在していることは間違いない。沼の水を1リットル汲めば、なかには25万匹ものクマムシがいる。

だが、どこにでもいること、かわいいこと、クマに似ていること。これだけでは、この小さな動物をこの本で取り上げるには十分ではない。彼らにはそれ以上の瞠目すべき点があるのだ。実は彼らは、この惑星で最強のタフガイなのである。タフさでは、あのラーテル（154～155ページ）もかなわない。ただし、喧嘩の助っ人としてはいささか頼りないのだが。

➤ クマムシのよちよち歩きにだまされてはいけない。こいつは、タフでなかなか手強い奴なのだ。

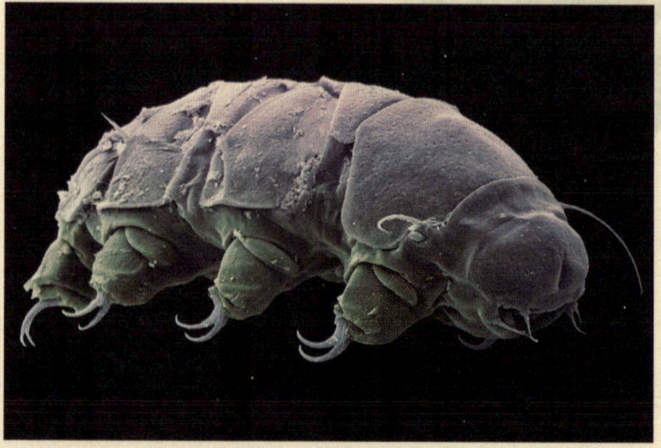

「おいらが水に住んでるクマだって？　あんたらみたいな
『家に住んでるサル』に言われたかないね」

　このミニミズクマは、実際、あらゆる苛酷な状況に耐えることができる。－273℃（これ以下の温度はない、という絶対零度に近い）という低温にも耐えられる。高温でも、沸騰するやかん程度は楽勝。実に151℃でも大丈夫。水を一口も飲まなくても10年は生きられる。逆にこの液体がたくさんある所、具体的には6,000気圧もの水圧がかかっても（現存する最も深い海溝の6倍の深さ）でも死なない。人間が死んでしまう量の千倍の放射線にも緩歩動物は耐えられる。それどころか、そんな放射線を浴びながら、平気でよちよち歩き回る。スペースシャトルの窓の外に10日間閉め出されても生きていた。

　このような信じがたいタフさの秘密は、彼らが本質的には一度死に、再び生き返っているということだ。状況が厳しいなと思うと、彼らは代謝をストップする。身体の中で起こるあらゆる変化を止めてしまうのだ。細胞の修復も、再生も、成長も何もかもだ。そして、環境がよい感じに戻ると、目を覚まし、ちょいと伸びとあくびをしてからまたよちよちと歩き始める。

　というわけで、彼らはなかなかタフで食えない奴らである。けれども、いざ殴り合いとなれば、まったくの役立たずなのだが。

ボキャブラリー

パンスペルミア説

　生物にとって最も苛酷な環境は宇宙空間だ。強烈な放射線、酸素の完全な欠如、恐ろしい寒さ。当然、ちっぽけなクマムシは、そのちっぽけな身体でこれらすべてに立ち向かう。だが、そんなことができるのは彼らだけではないかもしれない……彼らのような小さな宇宙旅行者たちがこの地球に生命をもたらしたのではないか。パンスペルミア説（生命の起源は地球外の惑星にあるという説）を最初に唱えたのは、紀元前5世紀のギリシアの哲学者、アナクサゴラスだ。最近では、宇宙船で彗星を捕らえ、たくさんの有機化合物がそこに存在することが明らかになった。それらの化合物が地球でできたものでないことにまったく疑う余地はない。

プラスアルファ

　生命とは非常にタフなものだ。そのなかでも特にタフなのが極限環境微生物と呼ばれる生き物たち。彼らは、超高温の火山性間欠泉の中、油田の中、原子炉の中、極地の氷の中、地下6.4キロメートルの岩の中、そして、地球上で最も乾燥した砂漠にも住んでいる。深海の、100℃を上回る熱水噴出孔にも生命は存在する。いったいどうしてなのかは不明だが、ヘアスプレーの缶の中で暮らしているものまでいるのだ。言うまでもなく、極限環境微生物という名はおいそれと名乗れるものではない。だが、さらに上をゆく多重極限環境微生物というものもいるのだ。上記のような信じがたい厳しさの条件が複数重なっても耐えられる極限環境微生物のことだ。もちろん、我らがクマムシ君もこの非常にタフな生き物の仲間である。

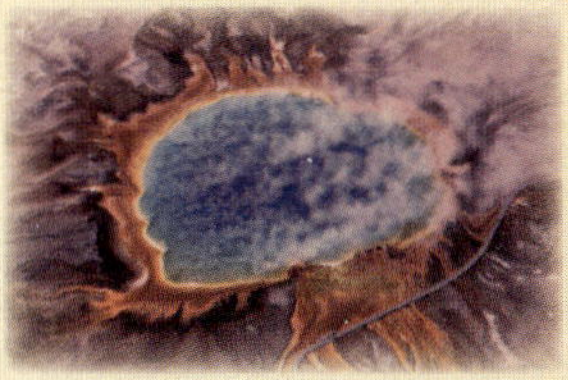

この煮えたぎる熱湯の池のまわりに見える変色した部分は、実は極限環境微生物たちだ。

北極から南極まで、エベレストの頂上から、マリアナ海溝の底まで。クマムシはあらゆる場所に住んでいる。

タイコバエ

PSEUDACTEON SPP.

この小さな小さなハエ。実は身の毛もよだつような恐るべき殺し屋だ。それだけではない。
彼らは、**あなたの脳みそを食そうと狙っている。**
まあ、あなたが、たまたま南米に住むアリだったらの話だが。

「のぉーーーーみぃーーーーそぉぉぉぉぉ!」

タイコバエは、ノミバエと呼ばれる多種多様なハエの仲間の1種。ノミバエの英名はscuttle fly（急ぎ足のハエ）。名前の通りすばやく走り回る姿をご覧になったことがあるだろう。さて、アリの首を刈るノミバエたちは何をするのか。不運なアリの背中に飛び乗って、産卵管を突き刺し、気の毒な御仁の体内に卵を産みつける。卵はごく短時間で幼虫となり、アリの体内を這ってその頭部に到達する。そこで、この腹ぺこウジ虫はアリの脳を食べ始め、最後には完全に食い尽くしてしまう。驚くべきことに、アリは、「最近、クロスワードパズルを解くのに、やけに時間がかかるようになったなあ」と感じる程度で、歩くこともできるし、働きアリとしての作業をこなすこともできる。アリは背中に神経節がたくさんあって、それがミニチュアの脳のような働きをしているのだ。

首刈りバエの幼虫がアリの頭の中を闊歩しているのは約2週間。すてきな景色と美味しい食事を存分に楽しんだ後、彼女はアリの頭の後ろの筋肉を溶解させる酵素を分泌する。すると、アリの頭はころんと落ちる。彼女はさらにしばらくその中でうたた寝をして過ごし、たっぷり

プラスアルファ

身の毛もよだつ恐ろしい存在と見えるかもしれないが、実は、タイコバエの仲間は私たちの味方だ。トフシアリ（54～55ページ）の仲間は、世界中に進出しその勢力を広げている。多くの人たちにとって不快害虫であるばかりでなく、テキサスツノトカゲ（104～105ページ）のような稀少な在来の野生生物を駆逐してしまうこともある。我らが脳食の友人たちは、この侵略者との戦いで私たちの心強い盟友となってくれているのだ。

「頭に来た、なんて言ってる
場合じゃないんだけどね」

数週間後、脳をすっかり食べられてしまったアリの頭はぽろりと落ちる。

食べた美味しいランチの分の体重をダイエットで落とすためにさなぎになる。そして数週間後、少々お色直しをした彼女は、また別の疑うことを知らない犠牲者を責め苛むために飛び立っていくのだ。

アリの首を刈るこのハエが属するノミバエ科には、実にいろいろな種類のハエが含まれている。柩に入った人間の死体をごちそうにしているおぞましい棺桶バエもその仲間だ。そのなかの1種が、あらゆるものを食べるクサビノミバエ。彼らは、植物、動物の傷口、生きている動物の肺の組織、靴クリームからペンキまで、本当に何でも食べる。私たちの心（頭じゃなくて本当によかった）を虜にしているタイコバエだが、彼らに攻撃される立場のアリたちからは相当に忌み嫌われている。アリたちは、あらゆる苦労をいとわず、脳みそを食われないように気をつける。ハキリアリの仲間のなかには、仕事をするときに2匹ペアになるものまでいる。1匹が葉を運び、もう1匹はタイコバエを追い払うボディーガード役を務めるのだ。

プラスアルファ

「棺桶バエ」の異名を持つクサビノミバエは、ノミバエの仲間のなかでは比較的人間的な食事を好む種だ。体長5ミリにも満たないこの小さなハエは、人間の遺体を求めて2メートルも土中を掘り進む。私たちの死者の身体を利用して繁殖することにうまく適応したおぞましい小悪党たちは、ひとつの柩の中で世代交代を繰り返し、何世代にもわたって幸福に暮らし続ける。遺体を掘り出してみたら、羽根を生やした禍々しい小虫が何千匹もわっと飛び出してきたという話もよく聞く。想像を絶する繁殖力の持ち主で、1つがいの親から、たったの60日間で5,500万匹以上の恐ろしいちび軍団が生まれてくるという。

タイコバエの仲間は、アリがいる所ならどこにでも存在する。それ以外の場所に行こうという奴は、頭がいかれている。

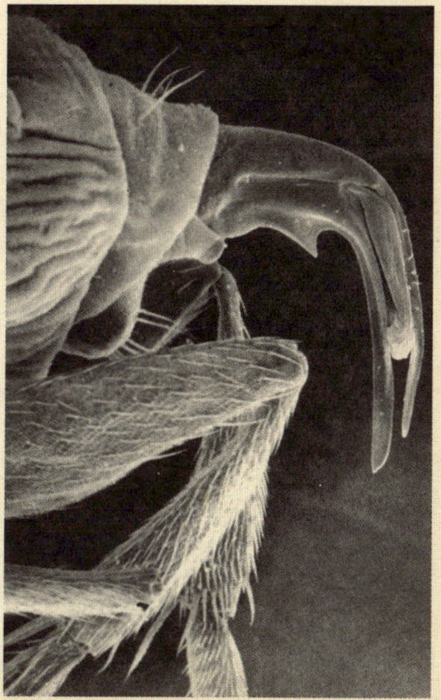

このグロテスクな物体は、アリの身体に卵を産みつける産卵管。こいつと出会ったアリの人生は、転落の一途をたどるしかない。

ハエトリグモ科

FAMILY: SALTICIDAE

ハエトリグモの仲間は魅力的だ。蛛形類では最多の約5,000種が全世界に分布している。
だがまあ、マティーニでもつくってゆっくり続きを読んでいただきたい。
彼らは、あなたが知っている並みの8本脚とはひと味違うクモだから。

魅力的なこのクモたちは、同僚たちとの折り合いがあまりよろしくない。もちろん、そこが愛好家には余計にたまらないところだ。ひと言でいうと、彼らはあまりクモらしくない。たくさんの脚をもぞもぞと動かし、小さな目をぎらぎらと光らせ、毒液を注入しようと歯ぎしりをしている。彼らにはそんな性質はない。ふわふわとした綿毛、牝鹿のようにうるうるした目。思わず抱き上げて頬ずりしたくなるような姿だ。

全種のクモのうち13%がハエトリグモの仲間。当然、広い範囲に分布している。

残念なことに、これは実質的に不可能だ。なにしろ彼らの体長はおよそ5ミリ。だが、彼らはそのハンデーを、とてもかわいらしい行動でカバーしてくれる。もし、あなたが小指を他のクモの目の前に突き出したら、そのクモは、敏捷に走り寄ってきてあなたを毒牙にかけようとするか、あなたが小娘のように悲鳴を上げるのを黙って見つめているかだろう。ところが、ハエトリグモはまったく異なる反応を見せる。好奇心をかき立てられ、このピンク色のソーセージみたいなものはいったい何だろうと考え、調べてみようと近寄ってくるのだ。英語のジャンピングスパイダーという名の通り、彼らはぴくんと弾かれたように移動する。驚くことに、彼らは身体を動かすときに、筋肉をまったく使わない。彼らの脚は油圧システムで動いて

「抱きしめて頬ずりしたい?」

いるのだ。掘削機械のように、システムの中に送り込まれた液体（愛すべき蛛形類の友人の場合は血液）を利用している。脚の中には空洞があり、そこに液体を満たすと脚はすっと伸びる。この驚異的な構造のおかげで、バッタのように巨大な脚もないのに、体高の80倍という非常に高いジャンプをすることが可能になった。

かわいい子猫ちゃん！

ハエトリグモは視力も驚異的だ。6本脚の昆虫界ではトンボが断トツで視力のよさを誇るが、ハエトリグモはその10倍も目がよい。柔らかい毛に覆われた跳ね上がり君たちは、そのすばらしい視力を利用して獲物を待ち伏せる。大きな、正直言って非常に気味の悪い巣を所構わず張りめぐらす、などということはしない。こんなにちっぽけな脳しか持たない生き物がどうやって目を利用して狩りをするのか、学者先生たちはずっと長いあいだ頭を悩ませてきた。ネコや人間も含めて、捕食性の哺乳類は、目がもたらす大量の情報を処理するために、信じられないほど複雑な賢い脳を進化させてきた。目から入った情報は、ふるいにかけられ分類されるので、私たちは必要な情報だけを取り出すことができる。頭がパンクしてしまうようなことはない。

▼ハエトリグモは、英名の通り、ジャンプするクモである。

これに対して、ハエトリグモは、かなり異なるやり方で進化したことが分かってきた。彼らの物を見る能力は完璧だけれども、1度に見える範囲が非常に狭いのだ。

というわけで、とっても愉快なハエトリグモ君に手を振ってやってください。大きな牙ならぬ大きな瞳を持ったもしゃもしゃ君。好奇心旺盛で、こそこそ走り回らずにぴょんぴょんしている彼らが他のやくざなクモたちとは一線を画する存在であることは、きっとみなさんにも認めていただけるでしょう。学者先生のなかには、このカリスマ的生き物にはハエトリグモなどよりもふさわしい名前があると主張している方もおられるのだ。先生方は、この油圧式毛玉君をずばり「8本脚のネコ」と呼ぼうと言っている。

ボキャブラリー

蛛形類

ギリシア語の「クモ」が語源。そのギリシア語自体は、ギリシア神話のアラクネーから来ている。「蛛形類」は、クモの他サソリ、ダニを含む動物の仲間を指す。

ペルビアンジャイアントオオムカデ

SCOLOPENDRA GIGANTEA

身体を鍛えるのが趣味というヘビがいたら、きっと、すばやい動きのために脚を何本か生やし、パンチを食らってもダメージを受けないようにボディアーマーを身につけるだろう。そうなれば、世界最強の剣呑なヘビになる。だが、ヘビにそんなことをしてもらう必要はない。一足先にそんな姿を実現した奴が存在しているからだ。

哺乳動物は節足動物を好んで食べる。コウモリは、1時間に蚊を100匹も食べることができるし、アリ食いは一日中歩き回りながら3万匹ものアリを舐め取って食べる。同じ時間内にツチオオカミが平らげるシロアリの数は20万匹にもなる。ヒトも節足動物を実によく食べる。推計では、イギリス人は年間約1キロの節足動物を消費しているという。

死後の私たちが地中生活を始めてからは別として、立場が逆になることはない。節足動物にとって、私たちは獲物にするには大きすぎるのだ。確かに、蚊やノミのように私たちの身体をちょこちょことかじる、こそこそした奴らもいることはいる。だが、毛皮に身を包んだ私たち哺乳類を捕まえて食うなら、虫はものすごく巨大にならなければならない。ここで登場するのが、世界最大のムカデ、ペルビアンジャイアントオオムカデだ。

長さは成

「メイン料理は哺乳類のスフレで。付け合わせにタランチュラもお願いします……」

残念ながら、この写真は実物大ではない。実際は、もっとずっと大きい……。

カッコいいペルビアンジャイアントオオムカデはどこに住んでいるでしょう？当たった人には賞品を進呈……するわけないか。

ボキャブラリー

ヤスデ

確認できているなかで最古の陸上生物はヤスデとムカデだ。4億2,800万年前にかさこそと海から上がってきたという。だが間もなく、「あいつら、脚の数ごまかしてるんだって？」といううわさが広まる。確かに……ヤスデmilli（千）pede（足）に千本も足はない。一方、ムカデの足は20本から300本のあいだだ。

「ごめんよ、数学はあんまり得意じゃないんだ」

人男性の前腕ほど。ヘビのように強く、動きが敏捷、丈夫な殻で身を守り、毒を持っている。念のため申し上げておくと、彼は史上最大のムカデではない。最も大きかったのは、今は絶滅してしまったユーフォベリア。またガラパゴスジャイアントオオムカデのなかには体長60センチにもなるものがいるという話もあるのだが、これはまだ未確認情報だ。

明日への一歩

この悪魔のような虫の賞賛すべきところは、その志の高さだ。節足動物の世界では、植物や他の小動物をちょっとずつかじって暮らしを立てるのが常識となっているが、彼はそんな生活に甘んじる奴ではない。断じて、断じて否。もっと大きくて美味いものが食べたいのだ。大好物はネズミ。自分の大きさやタフさを誇示するために、好んでタランチュラも斃（たお）す。

さらに印象的なのは、夕食のおかずにコウモリを捕まえる方法だ。奇想天外な生き物を集めた私たちの本にこのすばらしい虫を加えることにしたのも、この点に注目したからだ。赤い血の滴る美味い肉を手に入れるために、彼は悪魔のような策略を立てる。まず、コウモリが群れをつくっている洞穴の壁を登る。天井にたどり着くと、彼はコールタールのようにまっ暗な闇の中に身体の前半分を乗り出して逆さまにぶら下がる。そうしているうちに運の悪いコウモリが近くまでやってくる。すると彼は、がばっとそのコウモリを捕まえ毒液を注入。コウモリは即死だ。それから1時間のあいだにコウモリをすっかり平らげてしまう。

プラスアルファ

史上最大のムカデ、ユーフォベリア。アマゾンに住む仲間の4倍もの大きさだ。幸いなことに、彼が生きていたのは2億5,000万年も昔。さらに、ムカデとヤスデの共通の祖先アースロプレウラは、もっと大きく、2.75メートル近くもあった。これは、陸に住む無脊椎動物では史上最大。

トフシアリ属

SOLENOPSIS SPP.

電球を替えるのにトフシアリは何匹必要か？
彼らは切れた電球交換といったごくごく単純な家の仕事もまったくできないが、
一瞬たりとも頭が悪いとは考えないほうがいい。

トフシアリの仲間は、アカカミアリ、ヒアリなどとも呼ばれている。世界中に280種以上が存在している。アリとしてはたいへん小さいほうだが、迷惑きわまりないアリである。多くのアリは、まず咬み付き、その傷口に酸を浴びせるが、攻撃的なトフシアリの仲間は、顎は被害者に食らいつくためだけに使う。食らいついたまま、尻にある針で毒液を注入するのだ。ヒアリあるいは英名のfire antという名前から容易に予想がつく通り、この毒液は火であぶられたような感覚を引き起こす。

小さいけれども、もうひとつ、トフシアリたちには非常にありがたくない習性がある。タイミングを合わせて群れで一斉に咬み付くのだ。犠牲者の身体中に取り付き、合図を待つ。すると1匹が匂いのある物質を出す。フェロモンによる合図だ。その合図でアリたちはみんなで同時に攻撃を開始する。燃えさかる炎の舌があなたの脚を舐めているかのようだ。

たちの悪い生き物ではあるが、本書でこのアリを取り上げるのは、この集団行動の故である。さて、人間の脳は実にすばらしいものだ。だがそれがどのように機能しているかはさっぱり見当がつかない。なぜなら、脳は目が眩むほど複雑だからだ。ニューロンの数は1千億個。1千兆個所もあるニューロン同士の接続部では、信号がぱちんぱちんと流れたり、燃え上がったり、ぱっと光ったりしている。それ

「こうやってやるんだってば。ばかだな、お前」

◀ 1匹1匹のアリはでたらめに行動する。そうしているうちに、問題の解決策が判明する。

を使って私たちは、ありとあらゆるおもしろいことを考え出してきた。旅行プラン、夜会服のカマーバンド、電球、帽子、楽しい歌。みんな私たちの脳が考え出したものだ。

もちろん、アリの脳は人間に比べるとはるかに小さい。電球も替えられないわけだ。まして電球を発明するなんてとうてい無理。ちっぽけな頭脳を持って、彼はちょこちょこと走り回り好き勝手なことをしている。誰も、彼にあれこれ指図したりしない。にもかかわらず、彼らは集団で驚くほど困難な難問を解決してみせる。でたらめに行われる数千の行動が、ごく短時間で解決策に到達するのだ。実際、私たちはこの集団知性を人間に応用し、群衆がどのように振る舞うかをシミュレーションすることができる。将来は、これを応用して体内の病変部分を探したり、惑星地図をつくったりすることもできるだろうと考えられている。

１匹のトフシアリは救いようがないほど無教養だけれども、群れが全員集まれば難しい問題をたちまちのうちに解決してしまうのだ。

ボキャブラリー

ニューロン

ひと言でいうと、神経系にある主役の「考える細胞」のこと。一つひとつのニューロンは、無数に枝分かれした木のような形で、他の何百ものニューロンと接続している。千億個ものニューロンそれぞれが、複数のニューロンと連結し、その接合部の数は合計１千兆個所にもなる。

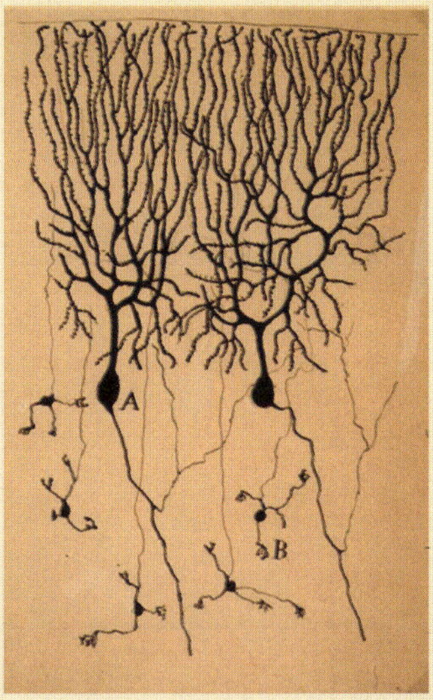

もともと南アメリカにいたアカカミアリ。世界中の人々に痛い福音をもたらすべく鋭意努力中である。

「緋蟻じゃないって。火蟻だよ。
おれの色、どう見ても緋色じゃなくて
鳶色でしょ……」

ヒヨケムシ目

ORDER: SOLIFUGAE

這い回る虫の世界で、栄えある王座を占めるにふさわしいのは、何と言ってもヒヨケムシ。
我らが不思議議纂録協会は、クモ恐怖症を患う方がクモを恐れるのは、
このヒヨケムシをご存じないからであると主張する。

「クモ?　ふん!　朝飯に
2匹いただいてやったぜ」

ヒヨケムシはクモの仲間ではない。ヒヨケムシ目という独立した目に属し、むしろサソリに近い。先のアラビアの砂漠で行われた戦争で一躍注目の的になった。ヒヨケムシにまつわるうわさはぞっとするものばかり。奇妙な叫び声を上げながら、疾走する装甲車と並んで走る大皿サイズのクモ。眠っている人間に咬み付く。1メートルもジャンプできる。ラクダのはらわたを食う、等々。

ご安心ください。これらはみんな作り話だ。ただし、安心できない事実もある。彼らは時速およそ16キロで走ることができる。大型の節足動物としては恐ろしいスピードだ。また、彼らは日陰を非常に好む。そのため、影になっている場所を見つけたヒヨケムシは、大急ぎで走り込んでくる。もちろん、その影のなかにはあなたの影も含まれる……単にうっとうしいだけではなく、結構恐ろしい。また口には巨大な牙が1対あり、それで人を咬むこともよくある。ぎざぎざの厄介な傷が残り、とても化膿しやすいので要注意だ。その上、その大きな鋏角を擦り合わせてしゅうしゅうと音を出す、と言えば恐怖はさらに増すだろうか。

ヒヨケムシの恐怖、その最たるものは、「ヒゲ斬り虫」という評判である。地元の人々によると、彼らは人が眠っているあいだにそのひげを摘んでいくのが好きだという。だがこれは明らかにナンセンスだ。ただし、ヒヨケムシの巣の中でよく動物の毛が発見されるのは事実である。

下図の地域を避ければ、ヒヨケムシと遭遇することはない。

ゼブラオクトパス

THAUMOCTOPUS MIMICUS

つい最近発見されたこの小さなタコは、当協会内でも相当な物議を醸している。
単純に言ってしまえば、彼女は驚異的な物まね芸人で、
彼女を食おうとする奴らを巧みに煙に巻いてしまうのである。

ゼブラオクトパスの能力は実にすばらしい。他の動物の形や色、質感をまねするだけでなく、その動きまで再現することができる。ベーツ型擬態の最も極端な例だろう。しかも、擬態する動物の大半が1種類のまねしかできないのに対して、ゼブラオクトパスは15種以上のまねができる。そのレパートリーは、シャコ、エビ、アカエイ、ウミヘビ、有毒なミノカサゴ、カニ、カレイ、クモヒトデ、貝殻、クラゲなど。相手をうまくだますためには、最高度の柔軟性が必須だが、この点我らがタコ女史は驚くほど身体が柔らかい。

この多芸で多脚な擬態者には、もうひとつ奥の手がある。ご存じの通り、この軟体動物の仲間は非常に頭がよい。属している動物門は貝類と同じだが、出身大学は絶対に違うはずだ。八腕目の生き物たちは実に賢い。我らがゼブラオクトパス女史も、魚でもヘビでも、出会った脅威のタイプに合わせて何に擬態するかを選んで決めている。小さいけれども本当にあっぱれな生き物である。きっと、みなさんも同意してくださるはずだ。

プラス アルファ

インドネシアに住むもう一種の住人についてもここで述べておかなければなるまい。その名はメジロダコ、英名coconut octopusの通り、ヤシの実の形をまね、触腕を2本出して歩いたり水中を漂ったりしている。レパートリーはひとつだけだが、その変装の技はきわめて完成度が高い。ずっと広いレパートリーを持つゼブラオクトパスもパイナップルの実に化けると言われているが、こちらの擬態はかなり微妙だという。

はい、みなさんに大好評、ウミヘビの物まねです。

目を皿のようにして注意して見れば、スラウェシ島近海でゼブラオクトパスを見つけることができるかもしれない。

渦虫綱

TURBELLARIA

いやはや、まったく！　こちらは、パブで一緒に酒を酌み交わす相手としては最悪の動物……渦虫(うずむし)君です。渦虫綱に属するのは4,500種ほどの扁形動物の仲間。自由生活をする扁形動物の大半はこの綱に属する。

扁形動物は身体が小さい。これは、身体中に酸素を行き渡らせるのに、酸素が自然に拡散するのを待たねばならないからだ。比較的大きなものも、同じ理由から、平べったい形をしている。とても頭のよいある人物が言っている通り、生き物は、それぞれにふさわしい形や大きさに落ち着く（ホールデーンの原則、93ページ）ものなのだ。ミミズを半分に切ると2匹のミミズになるとよく言われるけれども、これは作り話。だが渦虫の仲間のなかには、プラナリアのように真っ二つに切断してもそれぞれが生きている種もある。だが誰が好きこのんでパブに連れていく渦虫を2匹に増やしたがるだろう。

ボキャブラリー

扁形動物

英語では俗に flat worm とも。確かに、扁平 flat な虫 worm だけれども、この名称にはあまりよいイメージがない。

「どういうこと?　この店ではジャージ禁止なの?」

お行儀は最悪。服装の趣味にも疑問の余地がある。

傍目には楽しくダンスを踊っているように見えるが、実際には「ペニス・フェンシング」をやっているところ。一方が、非常に特殊な剣を他方に突き刺そうとしている。

渦虫は、全世界の水中及び湿気のある場所に生息する。幸い彼らは、バーに足を運ぶのは遠慮してくれている。

そう言えば、彼らを人前に連れていったらどれほど厄介なのか、説明がまだだった。それは、彼らのとても恥ずかしい生殖活動のせいである。彼らは「ペニス・フェンシング」をするのだ。その見るに堪えない現実を言葉で伝えるのはなかなか難しい。彼らの気持ちは私の理解を超えている。渦虫は、ご存じのように、雌雄同体。つまり1匹が雄でもあり雌でもある。彼らがペニス・フェンシングをするのは、相手を受精させるためだ。自分のペニスを相手の身体に突き刺すことができれば、相手は受精する。決闘に負けたほうの渦虫は、相手の子どもを体内に抱えたまま生活しなければならなくなる。どの渦虫も、できるだけ多くの相手を受精させ、自分の子孫の数を増やそうと躍起になっている。そのなかで、子どもを体内に抱えているのはたいへん不利なことなのだ。

内より外がいい

2、3杯ビールを飲んでちょっとビリヤードでも楽しむか、と思って出かけた先でこんな行為をやらかされたのではたまったものではない……。だが、これくらいで済めばまだましなほうなのだ。渦虫には肛門がない。それがどうした、などと思うなかれ。「排泄物」をすべて口から吐き出す、ということなのだ。これから結婚を申し込もうという相手がこれでは、興醒めもいいところだ。またこの性質によって、渦虫がなぜ暴力的な方法で相手に子どもを持たせようとしなければならないのかも、ある程度の説明がつく。

プラスアルファ

サナダムシ、あるいは条虫。これも扁形動物の仲間だ。地球上最大級の寄生虫でもある。少々不愉快な話になるが、彼らは私たちの消化管の中に棲み付き、場合によっては20メートルもの長さにまで成長する。

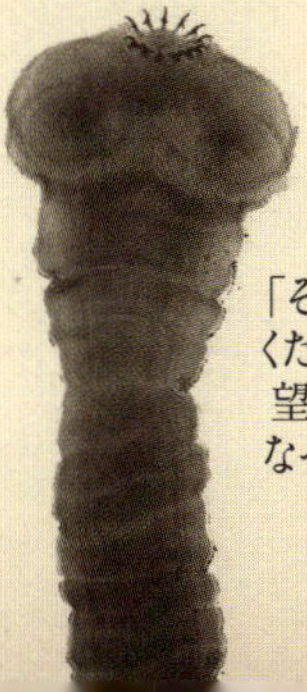

「そんな目で見ないでくださいよ。僕だって、望んでサナダムシになったわけじゃないんですから」

オオスズメバチ

VESPA MANDARINIA

オオスズメバチは、1分間に40匹ものミツバチをたいらげる。
まさに、ハチの世界の大量殺人鬼。5、6匹のオオスズメバチがいれば、
人が大急ぎで昼食を掻き込むあいだに、3万匹もいるミツバチの巣がほぼ全滅してしまう。

オオスズメバチは巨大で凶悪な奴らだ。小鳥ほどの大きさになる。それだけではない。彼らは速い（凶悪な虫で速い、というのはありがたくない特性だ）。最高スピードは時速40キロメートルにもなる。当然、生息地の人たちにはかなり恐れられている。ある土地では、「ヤク殺し」と呼ばれている。牛ほどもある大きな動物でも倒すことができると信じられているからだ。「雀蜂」という呼び名のほうがちょっとまし、と思う方もいるかもしれない。だが「スズメと戦うことができるハチ」ではなくて、「スズメほどの大きさのハチ」という意味だと知れば、ましだなどとは言っていられないだろう。

読者諸氏のなかには、ああ、また私がばかな空想じみたことをしゃべり始めたなと思っている方もおられるだろう。例えば、このハチに刺されると人間の肉が溶け出すとか。いやいや、向こう

残念ながら、オオスズメバチがこの写真のサイズに見えるとしたら、それは近すぎだ。

「おい、お前、何見てんだよ?」

プラス
アルファ

みんなで集まって楽しそう、に見えるかもしれないが、実は、このミツバチ球の中央にはオオスズメバチがいる。

「みんな、集まれっ!」

オオスズメバチとミツバチの形勢が逆転することもある。彼らは、2秒に1匹の割合で楽しくミツバチを殺害するのだが、オオスズメバチの生息地に住むミツバチも、奥の手で反撃することがある。ミツバチたちは、侵入者のまわりに群れをなして集まり、そして、取り囲んで、侵入者をボールのようにがっちりと包み込む。侵入者を封じ込めたミツバチたちは翼を動かす筋肉を震動させる。すると、ボールの中心部（＝オオスズメバチ）の温度がどんどん上昇、逆に酸素濃度はぐんぐん下がる。中の悪玉は文字通りきつね色に焼き上がる、という寸法だ。

見ずな旅人のみなさん、アジアへのご旅行をお考えならぜひキャンセルしていただきたい。だって、これは本当のことなのだから。「熱した釘を脚に打ち込まれたようだ」。オオスズメバチを研究しようと思い立ったある物好きな専門家は、このハチに刺されたときの痛みをこう表現している。痛いのはもちろんだが、致死性もかなり高い。アジアでは、1年間にこのハチに刺されて亡くなる人の数は、他の動物（トラ、クマ、ヘビ、それから寿司による食中毒も含めて）が原因で亡くなる人の数よりも多いのだ。その毒の中にはさまざまな化学物質が含まれている。あるものは、生き物の組織を溶解させ、あるものは痛みを引き起こす。また少なくとも1種の化学物質には、一緒にやっつけてやろうぜ、と近くにいる他のオオスズメバチの攻撃を誘う作用がある。

では、オオスズメバチを捕食している生き物はいるのだろうか？　この悪魔たちが日本に住んでいるということは申し上げましたっけ？「動くもの即ち食べ物」という姿勢では、日本人も中国人に負けていない。日本では、素揚げにしたものや生のままのハチが好んで食べられる。ぬらぬらしたハチをそのまま食べるだけでは飽き足らず、スズメバチの唾液から抽出した成分を使ったドリンクがたいへん流行っている。持久力とスピードの両方を延ばす効果があるそうだ。この昆虫の唾液を飲んで速く走れるというなら、ぜひ彼らに追いかけられてみてはどうだろうか。

オオスズメバチは、南アジアの広い範囲に生息しているが、最もよく見かけるのは日本の山間部。

第2章

2

魚類

5億年前、岩に張り付いて暮らしていた、あるぶよぶよした生き物が考えた。こんな束縛された生活にはうんざりだ、と。彼は、自由に大海原をさすらう夢を見た。そして、その目的を達成するべく身体の形を変え始める。漫々たる大海を股にかけて渡り歩くのに、身体がぐらぐらしていては具合が悪い。そこで彼は、背中に1本、硬い竿状のものを発達させた。こうして、背骨が必須アイテムとなる。ということで、本書の第2章以降は、すべてこの設計書に基づく動物たちについて書かれている。

最初に現れたのは無顎類。顎がなく、ピチャピチャへぎ取ったり、ジュウジュウすすったりして物を食べる口を持っている。これでは、ディナーパーティにお呼ばれすることはとうていかなわない。時間をかけて、魚たちは顎を発達させた。そこからは、もうあらゆる形態の魚が現れる。軟らかい骨格を持ったサメやエイの仲間、そして硬い骨の魚たち――。

一部の向こう見ずな魚たちは、水から上がり乾いた大地に進出したが、多くの魚たちはおとなしく現状を守ることにした。そして彼らは、水という物質の中で幸せに暮らしましたとさ。

ニセクロスジギンポ

ASPIDONTUS TAENIATUS

名前にニセとついた動物にろくな生き物はいない。ちょうど、人の名前の後に「センセイ」をつけるのと同じだ。このろくでなしは確かにかわいくない奴だが、奇妙さがそのかわいくなさを補っていることは事実だ。

ニセクロスジギンポの話をする前に、私たちは、もうひとり、南の海のサンゴ礁の住人に会っておかなければならない。ホンソメワケベラ君だ。彼は申し分なく高潔な紳士である。これはサンゴ礁に住む誰もが認めている。なにしろ彼は、あなたの身体中にキスをして、寄生虫やら古くなった皮膚やらの掃除を喜んで引き受けてくれるのだ。そう、ホンソメワケベラは、わき腹がきれいに色分けされた水中床屋、掃除魚なのである。

大きな魚は、おとなしく眠ったような状態で、危害を加える意図はないことを示しながら待っている。ホンソメワケベラは、まず、自己紹介のためのダンスを踊り、それから仕事に取りかかる。余分な粘液、はがれたうろこ、寄生虫などを取り除くのだ。実にうるわしい光景ではあるが、ホンソメワケベラは、決して善意のみで掃除をしているわけではない。大きな魚の身体から出るそれらの屑は、彼にとっては、マッシュポテト添えローストビーフのようなごちそうなのだ。

そうそう、それと我らがニセクロスジギンポとどん

ボキャブラリー

利己的な遺伝子

進化の中心に遺伝子がからんでいるとする理論は、現在、地球上の生命に関する理論として多くの人々に認められている。少なくとも、地球が 2、3 日で創造されるわけはないと考える合理的な人士はこの理論を支持している。この理論によれば、生き物は遺伝子を運ぶ器にすぎず、その遺伝子はあらゆる犠牲を払ってでも生き延びようとしている。この理論でさまざまなことが解釈可能になる。

▼ 水中床屋という仕事のおかげで、ホンソメワケベラはサンゴ礁一の人気者だ。

「あ、今週はもう少し脇のほうを頼むよ」

➤ニセクロスジギンポは、みんなの人気者の名を騙る、なかなかあざとい奴だ。

「それはどういう意味だい?
いつもの床屋よりすじが黒いって?」

な関係があるのか、ですね？　実は、彼はホンソメワケベラとたいへんよく似た行動をする。というか、ホンソメワケベラのまねをするのだ。このにせもの野郎は、掃除魚のベラと外見がそっくりであるのみならず、行動もそっくりである。

ただし、同じなのは掃除を始める直前まで。「いらっしゃいませ。奥様はお元気ですか？」の挨拶ダンスが終わると、この曲者は不運な魚に突進し、わき腹からばっくりお肉を食いちぎる。そして、お客に「痛っ！　おい、ちょっと。血が出ちゃったじゃないか」と文句を言われる前にずらかるのだ。

ということで、今回ご紹介したのは、ニセクロスジギンポ君。名前にニセとついた生き物にろくな奴はいないと申し上げた通りです。

◀ニセクロスジギンポは、ホンソメワケベラがいる場所にならどこにでもいる。具体的には、世界中の熱帯のサンゴ礁。ホンソメワケベラは、このような部屋割りをひどく残念がっているという。

プラスアルファ

動物界では、さまざまな擬態が見られる（57ページ、ゼブラオクトパス）ばかりでなく、その他、ありとあらゆるレベルでずるが横行している。もちろん、動物がずるをする、と言うと、擬人化が危険なレベルまで行きすぎているかもしれない。だが、そこに一抹の不道徳性を感じることは可能だ。動物はできる限りの計略や共謀を駆使して、自分の遺伝子を確実に残そうとする。ニセクロスジギンポやミツクリエナガチョウチンアンコウ（66～67ページ）のように、自分以外のものになりすまして食べ物を簡単に手に入れようとするもの。見かけは大きいけれども、とても弱いハサミを持つミナミザリガニのように、身体の一部分の見せかけを発達させて闘いを回避するもの。食べ物を見つけたモズは、狼少年のように危険を警告する鳴き声を上げ、食料を争うことになる相手をおびえさせて排除しようとする。雄のコウイカのなかには、雌を手に入れるために雌に化けるものまでいる。

「私たちは『モズ』。
『グズ』じゃないからね」

ミツクリエナガチョウチンアンコウ

CERATIIDAE

釣りはときとして孤独な作業だ。一日中座り込んで、ルアーをぴくぴく動かすだけ。話し相手も、一緒にパイプを楽しんでくれる友もいない。ミツクリエナガチョウチンアンコウはこの問題にすばらしい妙案を思いつく。いつも亭主を脇にはべらせておけばいいのだ。

チョウチンアンコウの仲間は世界中の大洋に分布している。多くは深海だ。底生のものは、まるで踏み潰されたような姿をしている。もう少し自由に泳ぎ回るものもいるが、そちらの体型は打ち合わせたシンバルにばちんと挟まれたような格好だ。もちろん、どちらも本当に踏み潰されたり挟まれたりしたわけではない。もしそうなら、どうしてこんなに怒ったような顔をしているのかいくらか説明がつくのだが、残念だ。ほとんどのチョウチンアンコウは、どこかしら不安げな表情をしているが、どのチョウチンアンコウも例外なく、他の生き物を不安がらせる独創的なやり方を編み出している。彼らの姿形は、ものをばくばく食べるのにとりわけよ

ボキャブラリー

ルシフェリン

生物発光で光を出す物質。チョウチンアンコウの誘引突起の先端にある疑似餌のような部分に住むバクテリアは、これを利用して光っている。女王陛下の英語でも、もっと下々で話される英語でも、普通、ルシフェルという語は悪魔と同義語として使われるが、本来は「光を運ぶ者」という意味のラテン語。

「もうちょっとだけ、明かりを落としてくださる?」

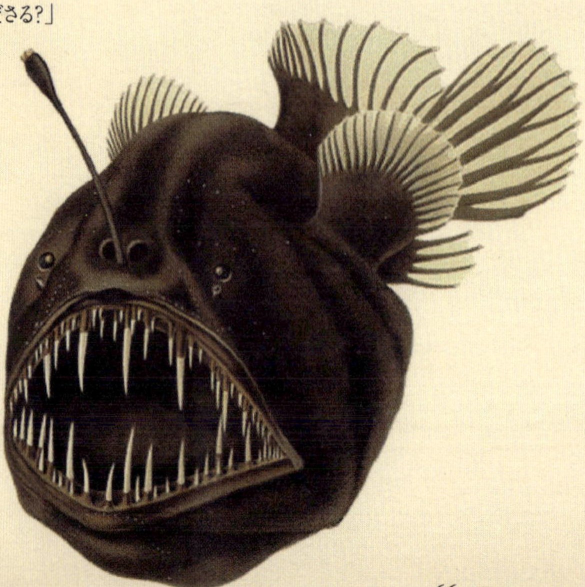

◀ 無光層に住む雌のミツクリエナガチョウチンアンコウ。お化粧の仕上げには、光のないことが欠かせないと考えている。

▼ チョウチンアンコウは、世界各地の深海に住んでいる。あまり見目のよろしくない雌の、光る疑似餌が美味しそうに見える暗い場所だ。

く適応していて、胃には何でも入る巨大な空洞があるし、非常に先の尖った鋭い歯が口いっぱいに並んでいる。

プラス アルファ

誘引突起（チョウチンアンコウの釣り竿と疑似餌）は、実は、背びれが進化したものだ。ほとんどの硬骨魚類では背中の盛り上がった部分に存在しているひれだ。チョウチンアンコウは、この釣り竿を前後左右に揺らしたり、ぴくぴく震わせたりする。突起の先端のエスカと呼ばれる疑似餌は生物発光するので、コールタールのようにまっ暗な深海でも遠くから見える……獲物になりそうな生き物を引き寄せるには理想的なお膳立てだ。おめでたい魚が近寄ってきてエスカに食いつこうとすると、チョウチンアンコウの巨大な口が反射的にその魚をぱくりと飲み込むようになっている。

釣り込まれにご用心

チョウチンアンコウの英名はangler fish。釣りをする魚という意味だ。その名の由来は、彼らが選択した餌の取り方にある。彼らは、日がな一日、にょろにょろしてとても魅力的なものをゆらゆら揺らしている。なんだか美味そうだなと思った他の魚は、もっとよく見ようといそいそ近づいてくる。もちろん大概の魚には、「あの美味しそうな餌のようなものは、餌ではないかもしれないぞ。あれはどうも、発光する共生バクテリアをいっぱい抱え、食べ物のように見せかけて、ゆらゆら美味しそうに動かされている高度に進化した背びれらしい」などと考えている暇はない。

食われる獲物には、自分に襲いかかってきた奴がどれほど醜悪な姿をしているか、感想を述べている時間もめったにない。実は、獲物を襲うのは例外なくご婦人だ。少なくとも、大きくてがぶりとやるほうは。雄は……、桁違いに小さい。太めの女性を愛する彼の人生唯一の目的は、海の中をちょろちょろと泳ぎ回り、結婚相手にふさわしい大きなお嬢さんを見つけること。雄のチョウチンアンコウとして生きることは容易なことではない。そもそも、女性陣のご面相がかなりナニなので。しかも、墨のようにまっ暗な深海。ひとつ僥倖があるとすれば、それは、醜い姿が見えないということ。ぱちんと電灯を消せば、顔の美醜なんかどうでもよくなってしまうことは、みなさんもよくご存じだろう。

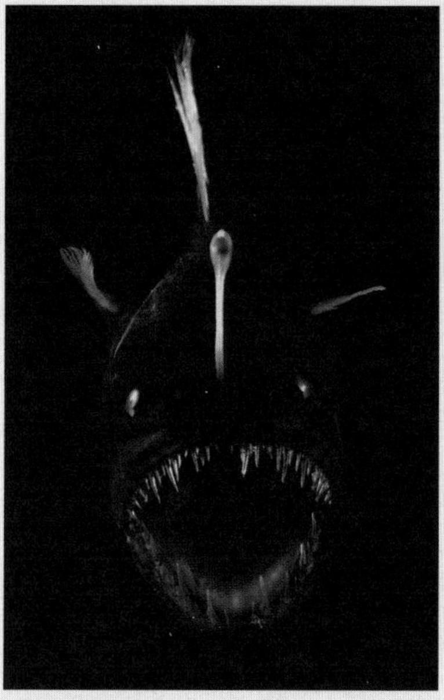

「さて、お夕食にはどなたがいらっしゃるのかしら!」

オニボウズギス

CHIASMODON NIGER

英名 black swallower、黒い大食家。小兵ながら勇名を馳せるオニボウズギス。
この貪欲な魚は、驚くべき食生活を送っている。
自分の3倍もあるような大きな魚も飲み込んでしまうのだ。彼は進化における基本的な教訓を学んだ。「食べ物が不足しがちなら、食べられるときに食べられるだけ食べておくこと」。

もちろん、この小さな魚がどれほど大食いか、詳しく説明して差し上げよう。ただし生きているオニボウズギスを見た人間はまだ誰もいないので、以下はあくまで仮説である。

このガキ大将君は、獲物の尾に咬み付き、それから徐々に顎を「前進」させて、まだ身悶えしている、そしておそらく相当いやがっているであろうおやつ君を腹の中に収めていくと考えられている。ワニを食っているニシキヘビを想像してもらえばよい。もちろん、その現場を目撃した者は誰もいないので、自分より大きな敵をどうやってものにするのかは、さっぱり分からない。食い付かれた魚は、おそらく必死で抵抗するはずだ。だから、オニボウズギスがどうやって振り離されないようにしているのかはまったく謎である。

▲オニボウズギスはほぼ全世界の海に分布する。深度は、光の届かなくなる辺りから、深海と呼ばれる部分の上層までのあいだ。

オニボウズギスはとにかく大食漢で、実は、消化しきれないほど大きな獲物でも食べてしまう。とてつもなく食い意地が張っているのだ。これくらい大丈夫、と高を括ったいやしん坊君の腹の中で、気の毒な獲物が腐敗し、発生した腐敗ガスで腹を風船のように膨らませたオニボウズギスが海面に浮き上がってくることもある。己が大欲に命を奪われるのだ。しかもこれは稀な出来事ではないらしい。なにしろ、オニボウズギスの標本の大半は、この状態で発見されたものなのだ。黒い大食漢という名前はだてではない、ということがお分かりいただけたと思う。

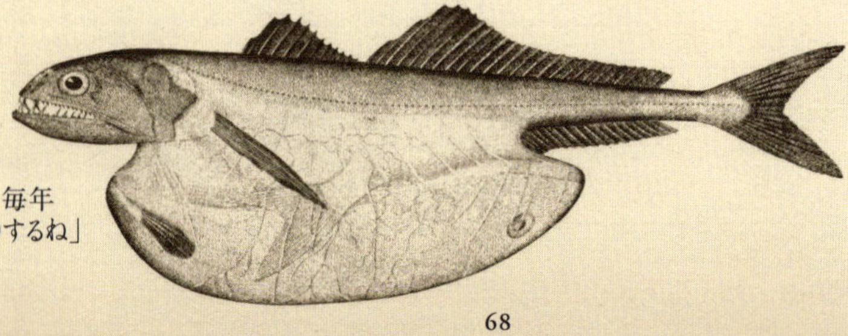

「君って、毎年必ず正月太りするね」

◀オニボウズギスの胃は恐ろしくよく伸びる。出されたごちそうを残すことはめったにない。

ラブカ

CHLAMYDOSELACHUS ANGUINEUS

嘘でしょ？　ずいぶんご無沙汰でしたね？
ラブカさんをご紹介します。海面上のパーティに彼女が
お呼ばれするのは、本当に久しぶりです。

「ご寵招に預かりまして、恐悦至極にございます」

あれから8,000万年も経ったなんて信じられません。ほんの一時代前のことのような気がします……ああ、そうですね。思い出しました。鳥たちが、くちばしのほうがイケてるぜ、歯なんか要らないよ、と言ってたころのことですよね。それにしても、またお会いできて嬉しい。ずっと絶滅したと考えられていたラブカだが、19世紀になって、1体の死体が日本の海岸に打ち上げられた。もちろん、中世からラブカの死体はしばしば海岸で発見されていたらしいのだが、当時の人々はそれは怪物大海蛇だと思い込んでいたのだ。だがヘビと間違えるのもやむを得ない。ラブカが獲物を襲うときの姿は、ヘビがネズミを獲るときと似ていると考えられている。

この驚くべき、しかもとても愛すべきサメについて、もうひとつ不思議な話を。彼女は卵ではなく子どもを産む。奇異に思われる方もいるかもしれないが、サメの仲間には子どもを産むものが多い。そのなかでもラブカは特別。妊娠期間の長さが動物界で最長ときているのだ。なにしろゾウの2倍の長さだ。3年半のあいだ、彼女は、お腹に子どもを抱えて大海原を泳ぎ回り、大切なその日が来るのを待っている。

プラスアルファ

シロワニもまた子どもを産むサメだ。だが、ママのお腹の中で何が起こっているかを知ったら、誰もが瞠目し、同時にそのサメらしさに感心させられるはずだ。子ザメは母親の子宮の中で発生する。そこは子ども部屋のような場所だ。その中で、子どもたちは共食いをする。兄弟をたっぷり食らって、1匹だけが最後に残る。母ザメの胎内から出るのは、ほぼおとなサイズ（体長約1メートル）にまで成長してから。そして今度は、同胞（はらから）以外の者を牙にかけるために世の中に泳ぎ出していく。

生息地は、図中の丸で示した海域。非常に深い深海だ。お近くにお出での節はぜひお立ち寄りくださいと彼女は言っている。

シーラカンス目

COELACANTHIFORMES

マージョリー・コートニー＝ラティマー嬢は、1938年、地元の漁師から奇妙な魚が揚がったから見に来てくれという知らせを受ける。彼女は、こんなに美しい魚は見たことがない、と言ってその魚を剝製にした。それから高名な動物学者を呼んでその魚を調べてもらうことにする。あいにく保存状態はよくなかったが、その動物学者が以前に見たものよりはましだった。なにしろ、そちらは何百万年ものあいだ、石の中でぺしゃんこになっていたものだったからだ。

シーラカンスは、4億1,000万年のあいだ、その姿をほとんど変えていない。

「なにせ、進化なんて、オルドビス紀の後期以来やってなかったからね。今さらやれって言われてもなあ」

シーラカンスは、アフリカ南東部やマダガスカル、コモロ諸島、スラウェシ島の沿岸で見つかっている。彼らは引っ越しの必要をまったく感じていない。なにしろ4億年もそこにいるのだから。

生きている化石、シーラカンス。何億年も昔の化石と近縁の現生種だ。彼らは、脚の始まりではないかと思われるものを持っている。魚には非常に珍しい付属器だ。彼らはそれを使って、海底を歩き回り、美味い餌を探している。世界中の研究者の心を惹きつけたのも、そのいかにも魚らしくない付属器だ。シーラカンスは総鰭類（そうきるい）の仲間だが、これは「上はどうなっているのかな」と考えて地上に初めて這い上がったものたちときわめて近縁の魚である。もちろん、陸に上がった大胆な冒険者たちの目には地上はすばらしい所に映った。彼らは進化して、人食いドラゴンのコモドオオトカゲになったり、コウノトリのように空に進出したり、モグラのようにふんふん匂いを嗅ぎながら地中を掘り進んだりした。

バクのように不思議な姿になったものもいる。なかには、マッコウクジラのように「やっぱり水の中がよい」と考え直したものや、セントクリストファー島のサバンナモンキーのように水以外の液体を飲み始めるもの、また水の外ではセックスに対する考え方も変わることを発見したものもいる。

プラス
アルファ

シーラカンスと大量絶滅には似たところがある。10万年待っても巡り会わないときもあるし、続けざまに出会うこともある。数年前、ある海洋生物学者が、新婚旅行中にもかかわらず誘惑には抗えずに地元の魚市場を覗きにいった。そしてなんと、氷の上に無造作に置かれていた新種のシーラカンスを発見する。もちろん、彼は新妻とふたりがかりで巨大な古代魚を荷車に載せ、ロマンチックな休暇のあいだ中、ずっと引いて歩くことになる。新妻がどんなにむっとしていたか想像に難くない。だが新郎のほうは、ちょっとは申し訳なさそうにしていただろうが、ほくほく顔だったに違いない。

うろこに覆われた生き残り

シーラカンスの脳は、頭蓋の容積の1.5%しかない。残りのスペースにはすべて脂肪が詰まっている。他にもその原初の姿を彷彿とさせる奇妙な特徴がある。例えば、心臓がとても小さいこと。ただの筋肉でできた管と言ってしまってもよいくらいだ。その代わり、別の能力を進化させている。口元にはロストラル器官——電気を感じる独特な器官——が発達し、獲物を見つけるのに利用しているらしい。シーラカンスは、5億年近くほとんど姿を変えずに、厳しい時代の荒波を乗り越えてきた。彼らが生き抜いてきた歴史のなかでは、恐竜の絶滅などほんの些細な出来事でしかない。

シーラカンスは、その脚のような4本のひれで、地球上の生物の実に80%が消滅したデボン紀の大量絶滅をかいくぐってきた。海の生物の90%が死に絶えた古生代中生代境界の超大量絶滅の時期もやり過ごした。三畳紀からジュラ紀にかけての大量絶滅が起こったときにも、ただ黙って、みんなどこに行ってしまったんだろう、この新参者のトカゲみたいな奴らは何を大騒ぎしているんだろうと考えていた。地球の土手っ腹にぽんと穴を開け、恐竜たちをきれいにやっつけて、裸のサルとその仲間たちのための場所をつくってくれた小惑星が飛んできたときにも、シーラカンスは粛々とそれまで通りの生活を続け、6,500万年後の現在に至る。これまでにどんなことがあったのか、ぜひ、彼に話を聞いてみたいものだ。

「4億1,000万年後の
あんたの姿と見比べたいね」

➤ 剥製師の店でのお勤めを終えたシーラカンス。だいぶみすぼらしい姿になってしまった。ぜひ、化石になった彼の友人を見てやってほしい。

ライギョダマシ

DISSOSTICHUS MAWSONI

水は凍ると硬くなり、結晶化して膨張する。硬くて角張っていて大きくなるものが
あなたの体内にあったら、とても厄介だ。「破裂」「切断」の2語は、
動物たちが自分の身体と結び付けたくない言葉ワースト2。だが氷ができるとき、
まさにこのふたつが動物の身に起こってしまう。

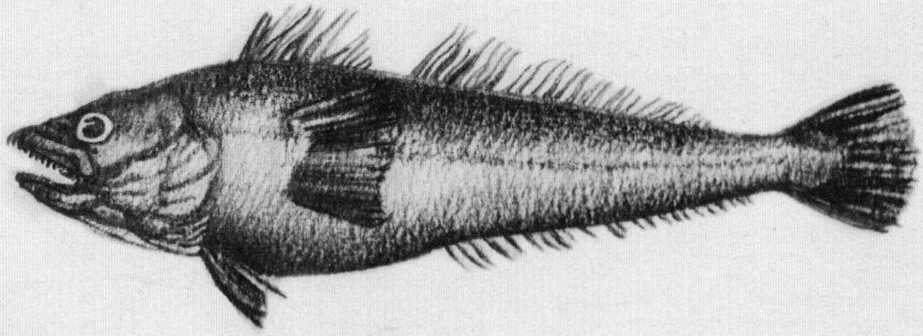

「黄色い歯には、やっぱり
茶色のマフラーが合うよね」

南極に行くぞ、という生き物は、身体の内側からずたずたにされないような装備をしっかりと用意しておかなければならない。その点、ライギョダマシに死角はない。ライギョダマシはかなり大きな魚で、体長はおよそ2メートル。南氷洋に住んでいる。50種ほどいるノトテニア科の魚の仲間だ。私たちの食卓にしばしば登場する、タラとはまったく無関係だが、味はとてもよく似ている。そのため、「南極ダラ」という別名もある。

Ⓐ ライギョダマシは、「冷たい海」に住むサメだと考えられることが多い。

冷血

ライギョダマシは、冷たい海に住むサメと言われることがよくある。南極海では最強の捕食魚だからだ。運悪く彼に近づきすぎた魚は、ほとんどどんな種類の魚でも食われてしまう。サメと同

ボキャブラリー

慣性恒温性

赤道から離れるにつれて動物は大型化するという理論がある。もちろん例外がたくさんある。その最たるものがゾウだろう。暖かい地域に生息しているが、余裕で巨軀を誇っている。それでも、赤道直下のジャングルで群れをなす何千種もの小さな小さな生き物と、極地の海を豪快に泳ぐクジラを見ていると、なんらかの相関関係があるような気はしてくる。いわゆる「ベルクマンの規則」。1847年にこれを最初に提言したのは、ドイツ人の博物学者カール・ベルクマン。ちなみに、彼自身は中型サイズだったと申し添えておこう。

じような軟骨性の骨格を発達させ、もちろん鋭い歯がたくさんある。ホオジロザメ同様、ライギョダマシも慣性恒温性の原則に従っている。大きな動物は、外界と接する部分が比較的少ないので、外界の熱が不足していても影響が少ないのだ。彼が住んでいる南極の海も、氷のように冷たい。だがライギョダマシは、この厳しい気候を、マフラーも巻かずに平然と乗り切っている。代謝速度が非常に遅く、限界ぎりぎり。驚くなかれ、彼の心臓は６秒に１回ずつしか鼓動しない。１日の生活のほとんどをじっと動かずに待って過ごす。消費エネルギーをできるだけ少なくして、どこかのうっかり者が近づきすぎるのをひたすら待ち続けるのだ。

この驚くべき魚には、さらに特筆すべき点がひとつある。本書に取り上げたのもそこがポイントになっている。驚異的なことだが、彼はなんと、体内で自前の不凍液を作り出すことができるのだ。そのおかげで、彼は氷点ぎりぎりの冷たい水の中を泳ぐことができる。この驚くべき能力は、細胞のまわりを自由に動き回ることのできるタンパク質による。氷の結晶が形成され始めると、そのタンパク質がそばに寄ってきて、その結晶にぴたりと張り付く。すると、結晶はそれ以上成長できなくなる。つまり、どんどん大きくなる硬くて角張った物体が、ライギョダマシの身体の中で悪さをすることはないのだ。

プラスアルファ

不凍タンパクは、動物、菌類、バクテリア、植物などさまざまな生物の体内で発見されている。同定されたのはごく最近になってからだが、人間はすでにそれらのタンパク質を商業的に利用することを考えている。例えば、不凍タンパクを使えばアイスクリームをもっと軟らかく美味しくすることができる。

この愉快な物体は、もうすぐ、あなたの好きな木イチゴのアイスクリームにも使われるようになるはずだ。

この冷血魚が南極海に住んでいるのは、驚くべきことでも何でもない。

トビウオ科

EXOCOETIDAE

トビウオについて知っておかなければならないことはふたつ……まず、魚であること、そして……もうひとつは……あ、皆まで言うなと？　でも、この覇気満々たる生き物について知っておいていただきたいことは他にもいろいろとあるのです。

ボキャブラリー

トビウオ科

トビウオ科の学名である *Exocoetidae* の意味は、「外で横たわるもの」。大プリニウスの時代、トビウオは、夜になると海から出て砂浜でぐうぐう眠ると信じられていたのだ。

魚は水のもの。当たり前のことだとお思いになるだろう。けれども、そうでなければいけない理由は？　哺乳類にだって、ちょいと体重を増やして海の中で暮らそうと決意した奴がいる。気味の悪いネズミみたいな格好で夜空を飛び回ることにした者だっている。「翼をばたばたさせて飛び回る」ような無意味なことはさっさとやめて地面を歩き回ることに決めてしまった鳥もいる。だったら、魚が堂々と空を飛んでも別に問題はないのでは？

事実、この空を飛ぶというアイデアは、そんなに悪いものでもない。魚を食う者たちは、夕食のおかずを求めて空中を探してみようとは絶対に思わないからだ。食われないようにするための教訓その一。誰も思いつかないようなことをすること、どうせやるならきびきびと。世界に 64 種ほどが存在するトビウオの仲間は飛ぶスピードもなかなかだ。速さは空を飛ぶための前提条件のひとつ。トビウオが揚力を得るためには時速 80 キロメートルのスピードが必要だ。これは相当たいへんな仕事だ。だが、腹を空かせたマグロの鼻息がうなじにかかっていれば、必要なやる気は十分出るだろう。彼は、尾びれを 1 秒間に約 60 回震わせてスピードを上げる。もはや「ぱたぱた」ではなく「ぶーん」とうなるようなレベルだ。このすさまじい努力によって、彼は水面から水のない空中へと飛び出すことができる。空中に出ると、翼のようなひれを大きく広げて滑空。見事な眺めだ！

「誰も信じてくれないけど、僕、やりましたよ。ねえ、見てて……必要なのはね、ちょっとした精神集中だけなんです」

翼のようなすばらしいひれが、トビウオの離昇を可能にする。

トビウオは、世界中の海で見られる。特に多いのは、熱帯、亜熱帯の暖かい海。

ムベンガ

HYDROCYNUS GOLIATH

筋肉の塊でできた巨大な丸太が矢のようなスピードで襲いかかる。ムベンガは、まさに捕食マシーンだ。骨の硬い丈夫な顎に、巨大な歯がずらりと並ぶ。その顎は驚異の虎挟みさながら。その強力な罠をばちんと閉じれば、大バサミのように上下の歯がしっかりとかみ合う。

すばらしい魚だ、本当に！　我らが協会のメンバーのひとりは、彼を評してこう言った。「泳ぐもののなかで最も獰猛。獰猛な魚と言えば、アオザメやらオニカマスやら大西洋に住むアミキリやらを挙げる御仁もいるが、そんな奴らは目じゃないね」。なかなか心強いお言葉だが、私たちは冷静に、彼がどれほど凶暴な暴れん坊なのかきちんと検証していきたい。もしあなたが、ズボンの裾をまくり上げてコンゴ川の水辺を歩くようなことがあれば……悪いことは言わない、音を立てないほうがよい。ムベンガは聴力も文句なしに最強なのだ。

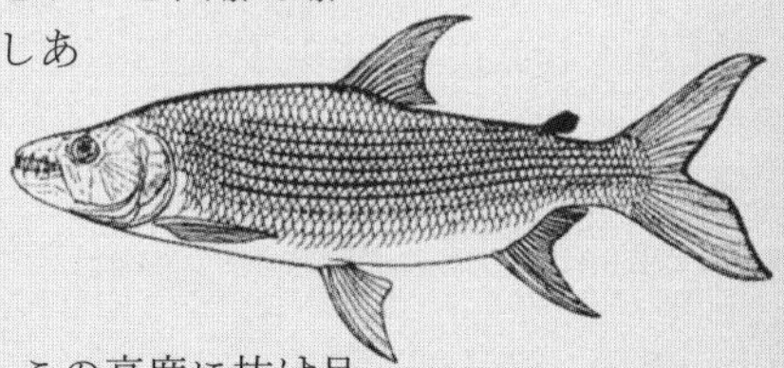

「切り裂きジャックじゃなくて、咬み付きジャック」

もうひとつ、とても嬉しいニュースがある。この高度に抜け目なく、超強力な、人間サイズの、かみ合わせの最高にすばらしい歯の持ち主は、群れで動く……しかもものすごい数で。しかし、彼らが人間を襲ったといううわさはよく聞くけれども、それを立証する証拠は何ひとつ残らない。

もちろん、「よく咬み付く」というだけでは、この本に取り上げられるわけがない。世界には、まったく異なる野生生物が同じ特徴を持つという現象がよく見られる。その理由のひとつは、食べ物になるべきものの量が十分とは言えないことだ。もうひとつは、進化では、与えられた素材でなんとかするしかないということ。ゾウの足にはネズミの足と同じ骨しかない。キリンの椎骨とウィンストン・チャーチルの椎骨の数はまったく同じ。この現象を、学者先生たちは、「収斂進化」と名づけている。「つまらないことをなぜそうくだくだと書いているの？」とおっしゃいましたね。はい、まとめてみよう。ムベンガは、有名なアマゾン川のピラニアのアフリカ版なのだ。だいぶ大きいけれども。

ボキャブラリー

赤の女王仮説

動物は、常に進化の軍拡競争を行っている、という考え方。名称の由来は、ルイス・キャロルの『鏡の国のアリス』に出てくる赤の女王の駆けっこ。「同じ場所に留まるため、思い切り走らなければならない」レースだ。捕食される動物が進化を遂げて走るスピードをアップする。すると捕食者も、もっと速く咬む力を強くする方向に進化するのだ。これによって、ムベンガが歯のある魚雷のように進化した理由の一部が説明できる。

ピラニアの巨大判のようなこの魚は、世界で最も深い川、コンゴ川の深く濁った水の中に住んでいる。

ダルマザメ

ISISTIUS BRASILIENSIS

サメはいつも大きな顔をしている。それも当然。ガンメタル・グレーの皮膚の下には躍動する筋肉が幾重にも重なり、口には、剃刀のように鋭い巨大な歯が何列も何列も並んでいる――恐るべき捕食マシーンだ。その姿は、何千年ものあいだ変わっていない。今さら何を変えろというのか？その身体は、彼らの行動に完璧に適応しているのだ。

もちろんなかには、ちょっとタフガイとは呼びにくいサメもいる。例えば、シュモクザメやミツクリザメ、ラブカといった奇怪な姿のものたち。だが彼らとて、決して侮ることのできない食わせ物だ。そして、ここに登場するダルマザメ。英名はcookie cutter shark、クッキーの抜き型ザメ。哀れな顔をした悪たれ小僧で、捕食者として進化の頂点に達した生き物にはとても見えない。「葉巻ザメ」「発光ザメ」。これまた情けなさそうな名前だが、悪魔のような方法で食事を手に入れる、この小悪党の別名である。彼は驚くべきだましのテクニックを駆使して、平然と自分よりも大きな魚の身体からがぶりと大きな肉をかじり取る。勇敢と言えば勇敢。だが、相当卑劣なやり方をしているのも確かだ。ミツクリエナガチョウチンアンコウ（66～67ページ）と同様、餌をおびき寄せるためのポイントは生物発光。ただし、ダルマザメの場合は、光を出す細胞がないことを利用して食券を手に入れる。

プラスアルファ

最大のサメ（プランクトンを食べるジンベエザメ。体長10メートル以上になる）と比べると、ダルマザメはものすごく小さく見えるが、実はさらに小さいサメがいる。最小なのはペリーカラスザメだ。体長は20センチに満たない。彼は、身体の小ささにひどいコンプレックスを抱いているそうだ。

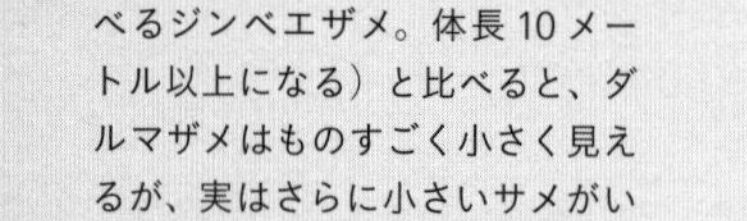

「ええ、どうせ、あたしゃ小さいですよ。小さくって悪うございましたね。あたしだってこれでいいと思ってるわけじゃありませんよ。ちゃんとそう書いといてくださいね」

楊枝を取ってもらえますか

ダルマザメは石灰化した骨格を持つ珍しいサメだ。これは注目に値する。ほとんどのサメの骨格は軟骨性。自由に曲がるので、身体の柔軟性が増すし、獲物に咬み付くために高速で泳ぎ回るのに適している。ところが、ダルマザメの骨格は石灰化して硬い（私たちの骨と同じ）。これは浮力に関係することが原因だと考えられている。それ自体はこの魚を本書で紹介するほど特筆すべきことではないように思われるが、ダルマザメが自分の歯を食べているという事実を知れ

ボキャブラリー

生物発光

　腹側に光を発する細胞を持つ魚はたくさんいる。食われないようにするための巧みな計略だ。誰だって食われるのは嬉しくない。だから、可能な限りあらゆる手段を講じて食われないようにする。大きな捕食者が深い所から上を見上げたとき、腹の発光する細胞が、我らがお魚君たちの影が空を背景にくっきりと浮かび上がるのを防ぎ、その姿はほとんど見えなくなる。なかなか賢い作戦ではありませんか。だが、ダルマザメはこのトリックをさらにもう1歩進化させた。彼らののど付近の黒い部分には生物発光する細胞がひとつもない。捕食者の頭上を、小さな黒い影が小魚のようにさっと通り抜ける。捕まえやすい獲物が来たと勘違いした捕食者は、当然、その黒い部分めがけて突進する。我らがこそ泥君はそのチャンスを待っているのだ。電光石火、彼らはゴムのような大きな唇を使って襲いかかってくる捕食者に吸い付く。そして、巨大な歯で、不運な奴の肉をかじり取る。

ば、事情は変わってくる。サメの歯は、常に新しいものと生え替わっている。エスカレーターの乗客がどんどん前に進んで降りていくように、尖ったサメの歯も、どんどん伸びては前に押し出されて抜けていく。一生のあいだに抜け替わる歯は何万本にもなる。魚としては骨格がそれほど立派ではないダルマザメ。身体に蓄えられたカルシウムもあまり多くない。そこで、普通のサメが抜けた歯を無造作に海底に落としていくのに対して、抜けた歯を食べてしまうというかなり思い切った方策を採ったのだ。

　骨に関する話題をもうひとつ。比喩的な表現を使えば、大半のサメは首から上には骨しかない。つまりあまり脳は働かない。ダルマザメも例外ではなく、食べてはいけないものに食いついてしまうことがしばしばある。潜水艦や水中マイク、電線などもダルマザメにがぶりとやられる被害を受けている。この恐ろしい牙が食い込んだ先が人間だった事例は幸いにしてひとつきりだ。一方、お通しにイルカを1匹、などとやっているタフガイ、ガンメタル・グレーの筋肉の塊のような大柄なサメのお尻には、大きなクッキー型に肉が削り取られた傷跡がたくさん残っているのである。

「ドー…レー…ミー…ファー…ソー…ラー」

かわいいちびさんじゃありませんか？ダルマザメを抱きしめたくなる人もおられるかもしれない。だが、彼に抱き付くなど最悪の行為だと申し上げよう。お尻に丸い穴が開くこと間違いなしだ。

この地図で、この恐るべき生き物が住んでいる場所を確認したら、きっと夏の休暇はどこか別の場所で過ごしたくなるだろう。

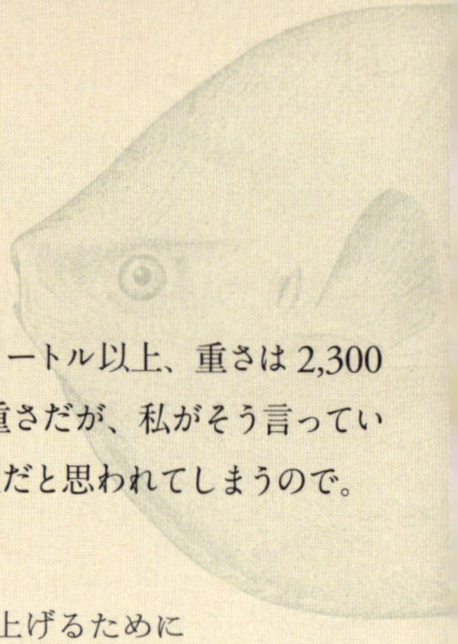

マンボウ

MOLA MOLA

世界最大の硬骨魚、奇跡のマンボウ。奇妙な丸い形。長さは4メートル以上、重さは2,300キロにもなる——雄のアジアゾウとほぼ同じ体重だ。ずいぶんな重さだが、私がそう言っていたことは彼女には内緒にしておいてくださいね。すごく失礼な奴だと思われてしまうので。

この巨大な硬骨魚の英名はocean sunfish。体温を上げるために取る行動からきている。深い海の冷たい水の中でしばらく過ごした後、日の当たる海面に大きな平べったい身体を横たえて日光浴をするからだ。その他にも彼女にはさまざまな呼び名がある。「月の魚」と呼ばれている国が多いが、その他に、ドイツ語では「泳ぐ頭」、ポーランド語では「頭ばかり」。中国語では「翻車（ひっくり返った車）」と呼ばれているが、なぜそんな名前になったのかはよく分からない。

「魚」という言葉は多少誤解を招くものである。脊椎動物は9つの綱に分けられる。哺乳類、鳥類、爬虫類、両生類の4つはおなじみの動物たちだし、定義も非常に明確だ。驚くべきことに、残りの5つの綱はすべてさまざまなタイプの魚たちである。奇妙なウナギのような姿をした無顎類。ヌタウナギ（80～81ページ）やヤツメウナギの仲間だ。棘鮫（きょくこう）類と板皮（ばんぴ）類は、世の中にあまりうまくなじめず、絶滅してしまった。軟骨魚類は軟骨性の骨格を持っている。かわいいダルマザメはこのグループに入る。そして最後に、いちばん「魚らしい」魚、硬骨魚類がくる。これに含まれるのは、

「まあ、なんてしつれいなかただこと!
もっと頭がよければ、
きのきいたことをいいかえしてやるのに」

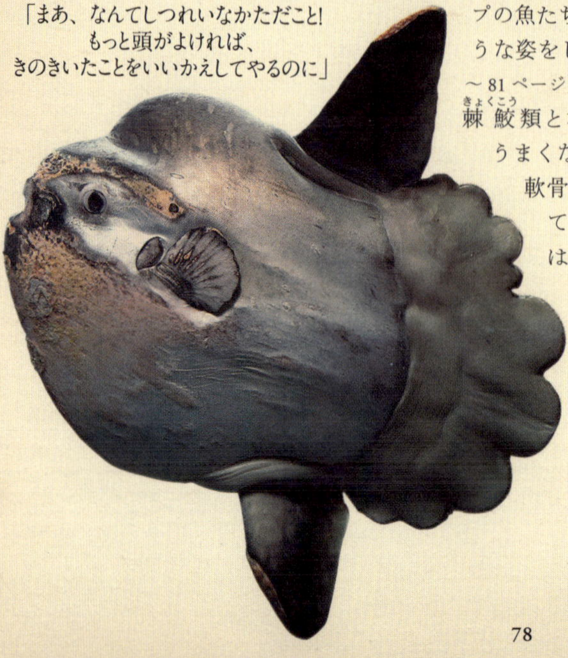

まるまる太ったマンボウをこの写真のサイズに縮小したら、脳の大きさは針の先ほどになってしまう。

標本としてこの巨大な魚を陸上に引き揚げて、この人たちが最初に口にした言葉は、「さて、これからどうしよう？」だったはずだ。賭けてもいい。

「その昔、巨大魚の脇でポーズを決めるのは、みんなに人気の娯楽だったようです」

マグロ、タラ、リーフィーシードラゴン（82～83ページ）、オニボウズギス（68ページ）、リュウグウノツカイ（86～87ページ）、そして我らがすばらしきマンボウさんなど。

幸い、マンボウ女史は、私たちが彼女を何と呼ぼうがいっこうに気にしない。少々おつむが足りないのだ。もしかすると、海の中ではいちばん頭が回らない生き物かもしれない。さすがに海に浸かったキリンよりはましだろうが。脳は文字通りピーナッツサイズ。重さにしてわずか4グラム。もちろん彼女には、でっかくてご大層な頭脳など必要ない。海の中では、別に上級クラスの微分積分などできなくても平気だからだ。自然とはそういうもの……恐ろしいほど効率優先なのだ。マンボウは、大海原を漂い、クラゲを食べながら幸せに暮らしている。難しいことは考えない。彼女が食べるのは、最も容易に捕まえられる獲物。ヒトデ、カイメン、その他、はっきり申し上げて彼女ほどののんびり屋から逃げることすらできないものたちだ。ではどのようにして、彼女はこのような巨体になったのだろうか？　答えは、とにかくたくさん食べること。地球上の生命のなかでも、本当に大きな生き物たちは、何トンもの食料に簡単にありつける環境にいる。ゾウは、アフリカやアジアでたくさんの草を食べる。舌の長さがたまたまゾウと同じだというシロナガスクジラは、何トンものオキアミを吸い込んで食べる。そして、世界最大の硬骨魚マンボウは、バケツ何杯分ものクラゲやカイメンを食べているのだ。

プラスアルファ

世界最小の魚は、パエドキプリス（子どものコイという意味）属の仲間。スマトラの泥炭湿地に生息し、大きさは米粒ほど。脊椎動物としても世界最小。食酢並みに強い酸性の水に住み、頭蓋骨がない。雄は、繁殖相手をしっかり捕まえておくためのかぎ爪のようなものを発達させている。だが実は、さらに小さい魚が存在する。雄のミツクリエナガチョウチンアンコウ（66～67ページ）だ。一対の精巣分の大きさしかない。一方、雌はかなりの大きさで、しかも相当な乱暴者ときている。

マンボウは、暖かな海ならどこでも見られる。寒いのはとても苦手らしい。

ヌタウナギ科

MYXINIDAE

外洋の深海に、ちょっと気味の悪い生き物が住んでいる。ヌタウナギ。ご想像の通り、たいへん美しい生き物で……というのは嘘で、なかなか恐ろしげな奴だ。

先の項でも述べたが、魚という呼び名には少々混乱があり、ヌタウナギについても、うろこを持った仲間たちと同じ魚と呼んではいけないのではないかと言われている。まず第一に、彼らには、哺乳類や鳥、魚、爬虫類のような背骨がない。頭蓋骨だけで、脊椎がないのだ。心臓は4つ、脳はふたつ。魚というよりむしろ環形動物っぽい。さらに、顎の関節がなく、口を左右に動かすようになっている。歯もないのだが、ケラチンでできた歯らしきものが生えている。私たちの髪の毛や爪、サイの角、鳥の羽の材料になる物質だ。ヌタウナギには眼もない。非常に原始的な眼点があるだけである。我が不思議議纂録協会でも、進化を専門とする同僚たちがこの眼点にたいへん興味を持っている。

この、いわゆる粘液ウナギは、実はウナギの仲間ではないのだが、中古車を売りつけようとするセールスマン並みにベタベタとしつこい。なにしろ、20リットル入りバケツ1杯分の水を、わずか数秒でスライムのようなベタベタの粘液に変えてしまうだけの化学物質を分泌することができるのだ。これは、身を守るメカニズムとしては非常

プラスアルファ

紛れもなく気持ちの悪い生き物だ、と言ってしまえばそれまでだが、実はヌタウナギは、気持ちの悪い生き物としてはたいへんよくできた生物である。恐竜が地球の覇権を握る6,500万年も前から3億年ものあいだ、彼らは姿を変えていないのだ。

「何だって？　僕のことを顎なし骨なし意気地なしって呼びたいって？まあ、別に構わないけどさ……」

ヌタウナギは、どう見ても、ひげの生えた眼のないウナギにしか見えない……ただし、顎もなければ背骨もない。

ヌタウナギはいろいろな所に住んでいるが、彼らの住処を「名所」として取り上げている観光案内はめったにない。

ヌタウナギが食べるのは腐敗したクジラの遺骸ばかりではない。彼らのいちばんの好物は多毛類。この写真でオレンジ色に見えるものがそれだ。上の穴にいるオレンジ色のものたちは、間もなく姿を消す運命にある。

「ちぇっ！　絶対この辺りにいるはず
だよ――ちゃんとした眼を
進化させとけばよかったなあ」

に優れている。その粘液がたちまち捕食者のえらに詰まって、呼吸できなくしてしまうのだ。そのような経験をした捕食者は、ヌタウナギを襲うととんでもないことになるということを学ぶ。

このおぞましい深海の住人の代謝機能は非常に緩慢で、何カ月もの断食にも耐えられる。だが、いざ食べる段になるとすさまじい食欲を発揮する。クジラが死んで海底に沈んだとき（38ページ、ホネクイハナジルバナワーム）、真っ先にやってくるのがヌタウナギだ。彼らは、死んだクジラにかじりつき、身体をくねらせて死肉の大きな塊をねじり取る。だが、ヌタウナギの主食は、クジラの腐肉ではなくゴカイの仲間が中心だ。また雌雄同体でもある。これはそれほど驚くべき事実ではないだろう。なにしろ彼らがデートの相手を見つけられるとはとても思えないから。いずれにせよ恐るべき生物だ。だが、同時に驚異的な生き物でもある。ヌタウナギ、万歳！

眼

眼、特にヒトの眼は、特殊創造説（訳注：物質や生命、世界は、神が無から創造したとする説）を信奉する人々にとっては厄介な問題のようだ。なぜ、これほど複雑なものが突然、しかも偶然出現したのか、解釈に悩んでいるらしい。だが答えは簡単。眼は、突然、偶然に出現したわけではないのだ。ここでひとひねり、そこでひと押し、というように、少しずつ積み重なった進化の賜物なのである。明るいか暗いかを生物に教えてくれる細胞が1個現れる。それが眼の始まりだ。その細胞の数が少し増え、明るいか暗いかだけでなく、中間の薄明も区別できるようになる。やがて、そのような細胞をたくさん進化させ、頭の上を捕食者が通り過ぎているかどうか、日光の遮られ方で判断できるようになった者が現れる。これは、たいへんうまい生き残り術だった。ライバルたちが食われているのをよそ目に、そいつには、悠々と恋愛を楽しむ時間がたっぷりあった。たくさんの子どもが生まれ、その子どもの子どもの子どものうちの1匹に突然変異が起こる。レンズができたのだ。最初は何の使い道もなかったこのレンズがさらにすばらしい進化を遂げ、その持ち主に食べ物を識別する能力を与える。持ち主は、おかげで大きく強くなることができた。そうやって現在に至る。進化とは、実にシンプルでエレガントなものだ。

リーフィーシードラゴン

PHYCODURUS EQUES

こちらがリーフィーシードラゴン君です……ほら、そこ……そこですってば……あなたの目の前にいるじゃないですか！　そうです、その葉っぱをくっつけたドラゴンみたいなやつですよ……。

彼の完成度の高い変装術は、一生懸命目をこらしさえすれば、西オーストラリアの沿岸で見ることができる。リーフィーシードラゴンは真骨魚類、つまり、マグロやウグイ、キンギョ、タラなどと同類の、硬い骨格を持つ魚の仲間だ。ちょっと見には、いわゆる普通の魚のようには見えない。ヨウジウオ（楊枝のような姿をしている）やタツノオトシゴ（竜のような姿をしている）、ウィーディーシードラゴン（葉っぱの少ないリーフィーシードラゴンのような姿をしている）と近縁の魚だ。ヨウジウオやタツノオトシゴと同様、シードラゴンたちも、子どもは父親が育てる。言ってみればパパが妊娠するのである。これはとても理に適った習性だ。ママは、できるだけ多くのできるだけ健康な卵をつくることにエネルギーを注ぐことができるし、生みっぱなしでただ海流に乗せて流される場合よりも、卵はしっかりケアされることになる。雌は、250個ほどの卵を雄の育児嚢の中に産み付ける。卵は、この中で9週間大切に育てられる。栄養分をもらい、酸素を供給してもらい、何よりも、飢えた捕食者から護ってもらえるのだ。

「ここには誰もいませんよ、葉っぱだけですよ」

彼の身体で唯一動いているのは、背中にある2枚のひれだけだが、これを視認するはきわめて難しい。身体の残りの部分は、海藻そっくりに海水の流れのままに漂っている。

ヨウジウオ

ヨウジウオは、名前の通り楊枝のような姿をしている。英語では pipefish。パイプと言っても、タバコを吸うあれでなない。長くて細い身体で、矢のように獲物に飛びかかる。そしてご覧の通り、なかにはすごくファッショナブルな奴もいる。

「だから、喫煙具店で僕を捜したって無駄だよ」

▶ ニシキフウライウオは、海水の流れに乗って漂う、とげとげした小枝のように見える。

▼ こちらのニシキフウライウオは、相当強いアブサンがお好みだったとしか思えない。

孵化した後は、もうそれぞれが一人前。最初の2年を乗り切れる稚魚はわずか5%だという。

このシードラゴンの特に注目すべき特徴は、その信じられないほどに完璧なカモフラージュ術。名前に違わず、葉っぱのような突起が身体中から突き出している。しかも、これらの葉っぱは泳ぐために使われることはない。本物の海藻の茂みのように、海水の流れに合わせてゆらゆらしているだけだ。また、骨ばった身体がたいへん硬いので、リーフィーシードラゴンはすばやく動き回るのが相当苦手だ。2枚の非常に小さなひれを細かく波打たせて泳ぐ。このひれは完璧に透明なので、彼らの計略が露見することはない。泳ぎのスピードを競うレースに出たら絶対負けるに決まっているが、幸い、姿が見えないので、誰も彼らがレースに参加していたことにさえ気づかないだろう。

▼ オーストラリアのカンガルー島からジュリアンベイにかけての沿海にいるはずのリーフィーシードラゴン。あなたはその存在に、きっとまったく気がつかないだろう。

プラスアルファ

ヨウジウオやタツノオトシゴ、シードラゴンが属するヨウジウオ科のなかで最も小さいのは、ピグミーシーホース。彼らは文句なしに極小だ。エンドウ豆をふたつ重ねたくらいの大きさしかない。何種類くらいのピグミーシーホースが存在しているのかは不明。なにしろ、とても小さい上におそろしく見つけにくいからだ。

「仲のよい友だちからは、シーピーナッツって呼ばれてるよ」

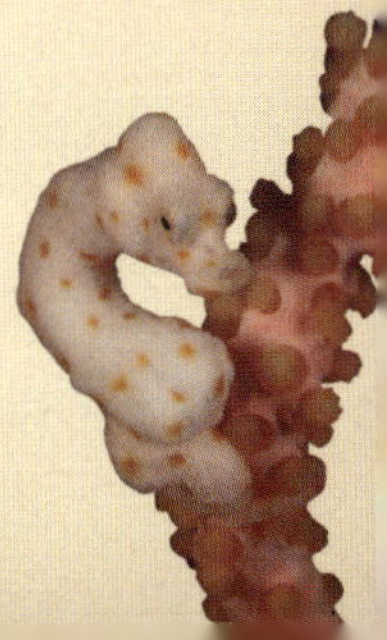

クマノミ亜科

AMPHIPRIONINAE

時代の寵児となったクマノミ……世界的に有名な俳優にしてメディアの人気者。いまや彼らは、金ピカの町、聖林（ハリウッド）のセレブである。だが、彼らが口には出したがらない事実がある。実は、彼らは女の子になりたいのだ。もちろん我ら不思議纂録協会のスタッフは皆、リベラルな思想の持ち主であるから、服装倒錯にも偏見の目を向けたりはしない。

別名アネモネフィッシュとも呼ばれるクマノミは、熊……失礼、ではなくアネモネと共生している。このアネモネは、花ではなくイソギンチャクのこと。毒液を出す刺胞を持つ食わせ物だ。ゆっくりくつろぐ場所としてこの場所を選ぶなど、常識では考えられない。だが、イソギンチャクの刺胞のおかげで、クマノミを狙う捕食者は「ちょっと一口いただこうか」とやってくるのを遠慮している。クマノミにとってはきわめて安全な家なのだ。

「飲め、食え、陽気子になれ」

イソギンチャクにも利点がある。クマノミがポリプのあいだを泳ぎ回ってくれるおかげで、水がよく循環し、宿主の身体が清潔に保たれる。おまけに、イソギンチャクは、クマノミの排泄物をそっくり食料としていただけるのだ。

だが、毒のある生き物を住処にしている点だけがクマノミのすごいところではない。クマノミの男の子たちがおとなになったらなりたいもの。それは、宇宙飛行士でも電車の運転士さんでもない。「彼」が本当になりたいものは「彼女」だ。クマノミは、生まれたときはすべてが雄。大々的な変身を遂げるまでは、ずっと身体も小さく性的に未成熟なままである。クマノミは、1匹の大きな雄と1匹の雌、子どもたちで群れをつくる。雌が死ぬと、大きな雄は、革新的なステップを経て女性に変身する。彼ではなくて彼女になったクマノミは、雌としてのあらゆる仕事をこなすようになる。むろんそこには卵を産むという仕事も含まれる。

ボキャブラリー

逐次的雌雄同体

同時に雄であり雌である状態が同時的雌雄同体。逐次的雌雄同体では、生き物が途中で性転換をする。

近くにお出かけの際は、ぜひクマノミ家に立ち寄って、よろしくと伝えてほしい。でも、くれぐれも陽子ちゃんに惚れてしまわないよう、ご用心。彼女が以前は男だったことを忘れずに。

ホテイカジカ

PSYCHROLUTES MARCIDUS

この気難しそうな魚が住んでいるのは、オーストラリア沿岸の深海。なんと、ほぼ全身がゼリー状の物質でできている――と言っても、彼がそれで陽気になったわけでもなさそうだ。それに、お子様向けのパーティで、彼をアイスクリームと併せて供してもあまり美味しくはないので念のため。

水の中で生活するときの問題のひとつは、同じ場所にずっと留まり続けるのがとても難しいこと。水よりもちょっとでも重ければ沈んでしまう。少し軽ければ、水面まで浮き上がってしまう。この状態にずっと抵抗し続けるのは、もちろんかなり骨が折れる。そこで魚たちは、空気の詰まったうきぶくろを進化させた。これで浮力をゼロにするのだ。

問題は、深海のようにものすごい水圧がかかる場所では、気体でいっぱいの臓器を体内に持っていてもろくなことがないこと。ホテイカジカは、新手の方法を進化させて浮力をゼロに保つことにした。彼のぽっちゃりした体を構成するゼリー状の肉の密度は、水の密度とほぼ等しい。つまり、自分が動こうと思わない限り、まったくエネルギーを使う必要がない。食べるものも少なくて済むので、これはとても好都合だ。姿も醜いし、動きも鈍い、ぶよぶよしたゼリーの塊のような奴だが、これはこれで生態学的ニッチにぴったりと収まるように進化した結果だ。パークアヴェニューの高級マンションに住む上流社交界の人々の仲間に入りたいなどとは決して考えない。深い海の底で、自分の領分をしっかり守っている。

「……我らは、水際で
徹底抗戦するであろう」

親戚のニュウドウカジカ。英名は fathead（脂肪頭＝まぬけ）。

彼らの住処は、オーストラリア、ブロークン・ベイの深海底。彼を海面まで無理やり連れてくるのはご遠慮願いたい。上つ方は彼のお気に召さないから。

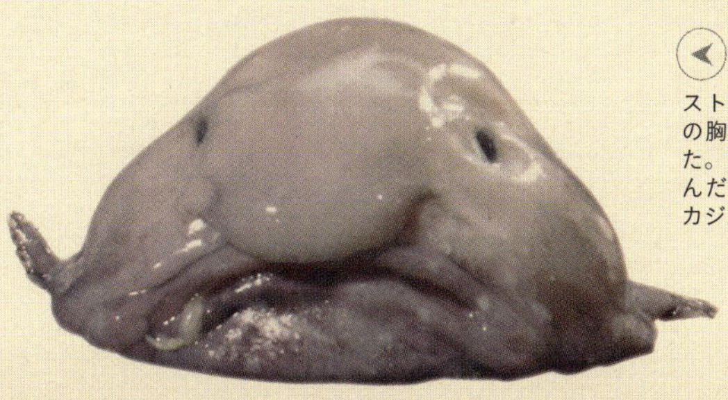

たいへんだ、私の大事なウィンストン・チャーチルの胸像が溶けちゃった。と思ったら、なぁんだ、ただのホテイカジカじゃないか。

リュウグウノツカイ

REGALECUS GLESNE

この不思議な姿の生き物、リュウグウノツカイについては分からないことが多い。巨大な大海蛇のような体つき、まばゆく銀色に輝く外皮、きらびやかな王冠——まさしく海の王者だ。

分かっているのは、リュウグウノツカイが世界最長の魚であること。最大なんと12メートルにもなる。リュウグウノツカイ科に属し、複数の研究者が、触れた相手に電気ショックを与えると言っている。最近深海に潜ったあるダイバーのグループは、リュウグウノツカイが、身体をくねらせずにまっすぐ伸ばしたままで、巨大な背びれを波打たせて泳いでいたと報告した。この美しい魚について分かっていることはそれくらいしかない。だから、いざリュウグウノツカイ談義を、と集まっても、自ずとみんな言葉少なになってしまう。多くの人たち、特に西洋的な価値観に批判的な人々は、我々科学の徒の鼻先に指を突き付け、あんたたちは世の中のすべてを解明したんじゃなかったのかねと非難する。いや、とんでもない。すべてが科学的に解明されているわけではない。私たちはむしろ、私たちがふるさとと呼ぶこの惑星に満ちている驚異や不思議に魅了され、我々がそれについて持っている知識が

1808年、スコットランドの海岸に長さ17メートルの大海蛇が打ち上げられた。現在では、それは非常に大型のリュウグウノツカイだったのではないかと考えられている。

「スケッチなどしている間があったら、余を速やかに海に戻さぬか。余を誰と心得る?」

プラス
アルファ

どれほどちっぽけなものか、十分に理解している。だからこそ、自分たちが知らないことについても積極的に議論するのだし、本書でもそのような話題を数多く集めてきたのだ。

ホモ・イグノラムス――無知なるヒト

私たちが宇宙について知っていることはほとんど皆無に等しい。宇宙の大部分は何もない空っぽに見える。それならば、宇宙はばらばらに崩壊してしまいそうなものだが、そうはならない。宇宙に果たして生命が存在するかどうかも分からない。ドレイクの方程式によれば、宇宙にはコミュニケーション能力のある生命体が約 1 万存在しているはずだという。それ以外の生命体も考えれば数え切れない生物がいることになる。

私たちは、自分たちの住む惑星についてもよく分かっていない。日々の天気がどうなるか、火山がいつ噴火するのか、地震がいつ起きるのか。そもそも地球に何種類の生物が存在するのかすら分かっていないのだ。500 万種から 2 億種のあいだだろう、というごくおおざっぱな推測しかできていない。深海底には何があるのか、1997 年の夏に深海で聞かれた怪音の正体は何かも分かっていない――この音は 7,725 キロメートルという広大な範囲で各種のセンサーに検知された。生物由来の音であることはほぼ間違いないが、そうだとすれば、既知のいかなる生物よりも大きな生き物であると思われる。

リュウグウノツカイの英名は、king of herrings、ニシンの王。ニシンたちが、隠者のような国家元首を自分たちの王と認めているかどうかはさだかでない。ニシンもなかなか驚くべき生き物だ。彼らはコミュニケーションのために、肛門からガスを出し合う。おならで会話とは何とも独創的なコミュニケーションだ。彼らがお互いにどうやって失礼という気持ちを伝えるか、ぜひ知りたいところである。

「異議なしなら、1 発ね」

▼ この王者の生息域分布は、当然、不明である。

「こら、余を下に降ろさぬか。
さらねば我が郎党どもが攻めかかるぞよ」

◀ 驚くべき標本だ。1996 年、太平洋の海面を漂っているところを、アメリカ海軍の船の乗組員が発見した。大きなリュウグウノツカイがどれほど長いかがよく分かる。

ヒルナマズ科

TRICHOMYCTERIDAE

あなたの食べていたリンゴからイモ虫が出てくるより気分が悪いのはどんなときか？　そう、あなたの一物の先っぽから魚が顔を出したときだ！　いつかはこの恐怖のちび君の話をしなければならならないと思っていた――このちび君が決してあなたの身近に現れないことを祈るのみ。こちら、ヒルナマズ科のカンディル君。アマゾン川で最も恐れられる魚です。

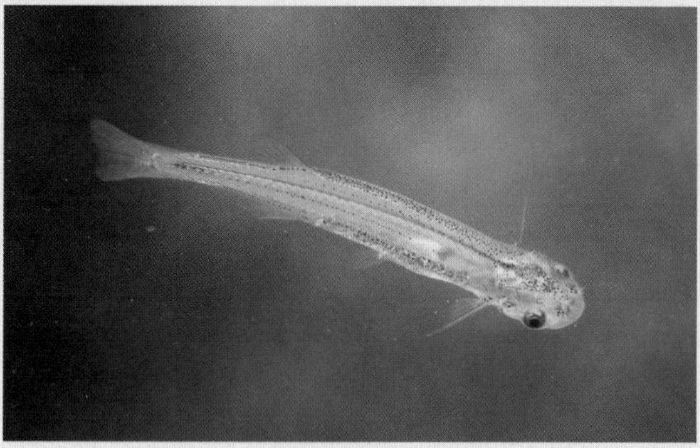

「ピラニア……そんな奴ら、目じゃないね!」

反社会的な習性を持ったカンディル。尿の流れをたどって、あなたの大切な部分から尿道に侵入する。これは相当痛い。ウナギのような体型のナマズで、長さは15センチ、太さ1センチほど。この半透明の悪党は川底で静かに待ち伏せている。水中で尿素の匂いを嗅ぎつけると、その匂いの源に向かって突進する。

幸い、彼らがふだん餌食にしているのは人間ではない。この無法者は運の悪い魚のえらに侵入しようと狙っている。入り込んだカンディルは、とげをぱっと立てて餌食の身体に穴を開け、大きな血管に到達するまで掘り進む。そこで、わずか数分間のあいだに血液をがぶ飲み。この液体ランチをたっぷりいただくと、また川底に潜行し、次の犠牲者が通りかかるのをうきうきしながら待つのである。

プラス
アルファ

水から出た魚

川でおしっこをしている者が運悪く犠牲者になることもある。でもこれは、このちび魚が悪いわけではない――誰が好きこのんであなたの大事なところに尻尾の先まで突っ込んでいくものかと彼は言うだろう――尿に含まれる尿素を、魚がえらから排出する尿素と勘違いしただけなのだ。さて、実際に彼があなたの身体に侵入すると、ぴくぴくしている尻尾だけが外から見えることになる。間違いなく動物界最悪の眺めだ。さらに、この困ったナマズ野郎は、とげを立てて自分の身体がするりと抜け落ちてしまわないようにしている。あなたがどんなにどんなにていねいにお願いしても、現金をいくら積むと申し出ても、彼は出てこられない。唯一の方法は手術ということになる。だが、地元の部族民たちが言うには、その地域に生える植物で２種類ほど、尿道に挿入すれば魚が死んで抜け落ちる作用のあるものがあるそうだ。不運にもこのならず者があなたの性器に入り込んでしまった場合に備えて、お教えしておこう。

ナマズは非常に種類が多い。世界中、淡水にも海水にも生息している。人を死に至らしめるほど強力な毒をもって刺すものもいるし、発電して電気ショックを敵に与えるデンキナマズもいる。他の魚の巣に自分の卵を産み、ちょっと鈍感な育ての母の口の中で子どもを守り育ててもらうカッコウナマズ。陸上を歩けるウォーキングキャットフィッシュ。身体が半透明のグラスキャット。ナマズはまた、大きさが多様なことでもよく知られている。南米には、成魚でも体長１センチにしかならないものがいる一方、メコンオオナマズは３メートルにもなる。大丈夫、彼らはめったにあなたのあそこに侵入を試みたりはしないから。

「わしの従兄弟?　あれは、
とんでもない乱暴者でね……」

読者のみなさん、ぜひ、この植物をよく見て覚えておきましょう。みなさんご自身のためです。今度、みなさんがアマゾン川で水浴びをするときには、この植物があなたを救ってくれます。

カンディルが生息するのはアマゾン川。願わくは、彼が他の土地に進出したいなどと考えませんように。

第3章

3

両生類

何百万年も昔、時はまさに魚の全盛時代。深い大海の底で少々魚らしくないものが進化しつつあった。そう、身体にはうろこがあり、間違いなくパセリソースをかけて食べたら美味しそうな連中ではあったが、彼らはいわゆる魚と比べるとずっと「歩くもの」に近かった。水から上がった彼らは、肺や脚といった画期的なものを次々と発達させる。そして、子孫を残すためにあの液体の中に戻るとき以外は、陸上で暮らすことが可能になった。

両生類は世界に勢力を広げ、それぞれの場所に適した姿に変身し、カエルやサンショウウオが生まれる。なかには、手足のない不思議な姿のアシナシイモリに進化したものもいた。もし彼らのような勇敢な先駆者がいなかったら、今日の私たちが水のないこの高みに存在することはなかっただろう。

というわけで、今度、我らが両生類の友と出会ったときには、ぜひ１杯おごってやってほしい。

チュウゴクオオサンショウウオ

ANDRIAS DAVIDIANUS

世界中を旅行していれば、あらゆる体型やサイズの人々と出会うはずだ。だが、人間サイズの巨大な両生類に出会うとは誰も考えないだろう。世界に500種ほどいるサンショウウオのなかでも日本と中国に住んでいる2種は、まさにそんなサンショウウオだ。その他のサンショウウオは、熱帯雨林からシベリアのステップまで、世界中に分布している。

サンショウウオと聞いて連想するのは、トカゲの形をした火の精サラマンダーだろう。レオナルド・ダ・ヴィンチは、サンショウウオが火の中から生まれてくると考えていたが、これにはそれなりの根拠がある。サンショウウオは、積み上げられた薪などの湿った木材の上を好む。薪が暖炉の火にくべられたとたん、彼らが炎の中からチョロチョロと飛び出してくるというわけだ。

彼らのご先祖は、ちょいと息抜きをしに陸に上がってきた最初の脊椎動物たちである。水の中から出てくるために、大がかりに身体の仕様を変化させた。見た目で最も分かりやすいのが、歩くための4本の脚。また、乾いた空気を呼吸する必要もある。そこで肺を発達させた。代表的な太古の植民者たちのなかには、オオサンショウウオも含まれる。オオサンショウウオが西洋科学において最初に注目を浴びたのは、ヨハン・ヤーコプ・ショイヒツァーという人物に寄るところが大きい。このスイス人医師は、あるオオサンショウウオの化石に心を奪われ、慎重に検討を重ねた挙げ句、ホモ・ディルビイ・テスティス（ラテン語で「洪水前の人類の証拠」）と命名する。彼は、それが聖書に書かれたノアの洪水で死んだ人間の化石だと信じていたのだ……いやはや、おもしろい人ですねえ。

プラスアルファ

太古の海から、水のない所ってどんな感じかな？と言いながら初めて出てきたものは、実際には魚だった。彼らは、手足のある魚、フィッシャポッドと呼ばれている。この生き物は、ワニの脚のような、肩、肘、手首を備えた付属器が身体の前部に付いている以外は、どこからどこまで完全に魚だった。

「このページでは小さく見えるかもしれませんが、私が薪の山から飛び出してきたら、きっとあなたは腰を抜かしますよ」

彼らは、中国の山奥の小川でほそぼそと暮らしている。

アシナシイモリ目

GYMNOPHIONA

リコリス味のひも状グミキャンディとミミズが情熱的な一夜を過ごした結果の産物のようなアシナシイモリだが、実際には、カエルやサンショウウオとごく近縁の生き物である。この生き物を一度も見かけたことがなかったとしても、それはやむを得ない。生活の大半を地中で過ごす、とても引っ込み思案な奴なのだ。

大きいものは1.5メートルほどにまでなるアシナシイモリ。1種を除いて、すべての種が1対の肺を持っている。片方の肺がもう一方より大きくて、彼らのくねくねした身体の中によく収まるようになっている。

アシナシイモリは非常に小柄である。肺などなくても、両生類特有の皮膚を通して身体の奥深くまで酸素を行き渡らせることができるほど小さい。ホールデーンの原則にぴったりと当てはまる例だ。

▼どうしてもアシナシイモリ君に挨拶したければ、世界各地の熱帯の多雨地帯に行ってみればよい。

アシナシイモリの頭はお尻と見間違えられやすい。なぜならば、彼はそう勘違いされることをわざと狙っているからだ。アシナシイモリを頭からがぶりと食おうと思ったせっかちな捕食者は、頭の形をした尾に咬み付く。すると、我らが両生類の友は、ニョロニョロ身をよじって無事脱出成功、という寸法だ。

また、あまり楽しい話ではないが、自分の母を食うのが何よりも好きというアシナシイモリがいる。母親の胎内で発生したニョロニョロした子どもたちは、母親の卵管の内側をきれいに食い尽くす。生まれてからもママを食い続ける種もいる。母親の皮膚をはぎ取って、むしゃむしゃ食べてしまうのだ。

「うーん、まさしくおふくろの味だね」

◀母親に食い付くアシナシイモリの子どもたち。心配はご無用、お母さんは平気です。

ボキャブラリー

ホールデーンの原則

どのような器官が必要になるかは、身体の大きさで決まるという理論。例えば、大きな生き物は、身体の奥深くにまで酸素を送り込むために複雑なシステムを発達させなければならないが、ごく小さな生き物は皮膚から酸素を吸収するだけで事足りる。ここから、大型のアシナシイモリは肺の進化が必要だが、小さなものは肺なしでよいということが予測できる。

ホライモリ

PROTEUS ANGUINUS

この不思議な生き物はバルカン半島に住んでいる。住処はこの地方の地下を縦横に走る洞窟群。つぶれたカエル（マングルド・フロッグ）という名前のカクテルが大人気だったころ、豪雨がこの地方を襲うと、流されたホライモリたちが洞窟の外に出てくることがあった。地元の人々は、それを地下深くに住んでいる巨大なドラゴンの子どもだと思っていた。人々が、当時最先端の技術を駆使した馬なし馬車と呼ばれるものの登場に同じように仰天していた時代のことである。

「それは僕のせいじゃありません。ここは、イギリスの夏と同じでね、太陽は顔を出さないんですよ」

◀ホライモリは、確かに虚弱体質のドラゴンの赤ちゃんのように見える。外に連れ出して、日光浴をさせてやりたくなる。

ホライモリはいささか健康的とは言いかねる「地区」を歩き回っている。そして、その身体を光のない環境に非常によく適応させた。皮膚の色はピンクがかった白。地球のはらわたの奥深く、まっ暗な所に住んでいるので、色など無用なのだ。この顔色の悪い大将は眼も持っていない。光がなくて何も見えないのだ。眼を発達させるようなエネルギーの無駄遣いをする必要がどこにある？

そのようにして、身体の各部分の発達に関しては、ホライモリはエネルギー節約の達人となった。同時に彼は、暗く何もない洞窟の中でできるだけ楽に生き延びる方法を探求している。彼は、セックスに費やすエネルギーも惜しんでいるのだ。たいへんな骨折りをして、産卵やら何やらをする必要などない。ばかばかしい。そいうわけで、ホライモリは、肉欲的なことを考え始めるまでに 14 年もの年月を要する。そして、実際に子どもを育てようと決意するまで 100 年かかることすらあるのだ。

▼南欧ディナルアルプスのカルスト地帯に行けば、地元の人々をおびえさせているホライモリが目撃できるかもしれない。え？そこがどこにあるかって？

ボキャブラリー

電気受容

多くの生き物が、コミュニケーションの手段として、あるいは、進行方向を探ったり、食べ物のありかを突き止めたりするために、「電気受容器」を進化させてきた。当然ながら、水のない陸上よりも水中のほうが電気受容器を持つ生き物は多い。水は、空気よりもはるかによく電気を通すからだ。

千里眼

けれども、この小さな摩訶不思議な生き物が、無力でいたいけな存在だとは思わないでほしい。まったくそんなことはない。まず彼らは、驚異的な感覚器官を全身にまとっている。洞窟に侵入してきた者があれば、ただちにこのセンサーに補足される。たいていの生き物は、まっ暗な洞窟に落ち込むことを避けたがる。そのため、そのような場所では食料は非常に稀少である。手に入れにくい食料を絶対に逃さないために、ホライモリは水中で動くもののわずかな震動をも検知する感覚器官を身体中に発達させた。さらに驚異的なのは、ホライモリが全身に味蕾を備えていること。まるで、何かの口から飛び出した巨大な舌が、自力で洞窟の中を這い回り、獲物の味見をしているようなものだ。獲物が引き起こす震動やその味を感じるだけでは飽き足らず、ホライモリは、さらに電気受容器まで発達させた。これで、生物が出すごく微弱な電気パルスを感じとるのだ。

そういうわけで、何者かがうっかりホライモリの住むじめじめとしたまっ暗な洞窟にポチャンと落ち込めば、確実に彼に見つかってしまう。また、仮に食べ物が見つからなくても、彼は6年間何も食べずに生き続けられると学者先生たちは言っている。このことといい、自力で這い回る舌の件といい、ホライモリは私たちの驚異に満ちた奇妙な動物の名士録に登場するだけの価値が十分ある生き物であるといえよう。

プラスアルファ

欧米では、昔から味覚は４つ（甘い、塩辛い、酸っぱい、苦い）とされてきたが、東洋では、この他にもさまざまな要素が考えられている。例えば、唐辛子による辛み、肉やチーズの持つ旨みなどだ。進化という観点から見ると、味覚があることの利点は明らかだ。私たちは、脂肪や塩分など身体が必要とするものに引き寄せられる。一方、苦みのある植物に含まれるアルカロイドなど、毒のある可能性のあるものには手を出さない。

スロベニアのポストイナ鍾乳洞は、このタイプでは世界最長の鍾乳洞だ。そのたっぷりと広い空間で、ホライモリはすばらしい暗闇の中で生きる技を日々磨き続けている。

チチカカミズガエル

TELMATOBIUS CULEUS

南米アンデス山脈の雲の上に雄大な天空の湖がある。はるか昔、その土地の人々は、湖の形をウサギに跳びかかるピューマの姿になぞらえ、チチカカ湖と名づけた。時代は下りヴィクトリア朝時代、博物学者たちがその青く澄んだ湖水深くにいる奇妙な姿のカエルを発見する。新たに発見された新種に驚愕した彼らは、カエルのひだひだの皮膚をつつき、その学識豊かな顎をぽりぽり掻いて考えながら、このカエル君を命名するとしたらこれしかない、と決めた。その名は水中に住む陰嚢。

お膝元、チチカカ湖ですごすチチカカミズガエル。

チチカカ湖は、生きるにはとても厳しい場所だ。海抜は4,000メートル近く。太陽の光は容赦なく照り付け、酸素が薄い。しかも氷点下になることも珍しくない。このチチカカミズガエルが男性用アンダーパンツの中身のような姿に進化したのも、それが原因だ。

このカエルが厳しい生息地で生き残るための重要な鍵は、ずっと水中で過ごすということのようだ。折りたたまれ、ひだひだになった皮膚は、湖の水から酸素を取り込むのに役立っている。大昔から、地元の人々はこのカエル氏が雨を呼ぶと考え崇拝してきた。人々は、カエルを捕まえ壺の中に入れる。そしてそのまま丘のてっぺんに置いてくる。もちろん、カエルは必死で大騒ぎをする。陰嚢

チチカカ湖は、南米ペルーとボリビアの国境にある。

のような格好のカエルに進化してきたのは、丘のてっぺんの壺の中でじっとしていられるようになるためではないからだ。彼は、なんて変なカエルだろうなどと人々からのべつ批評され続けることのない、湖の底で暮らすのが好きなのだ。ところが、運悪く、カエル語の「この壺から出せ、ばか者ども」がケチュア語の「お願いです、雨よ、降ってください」に聞こえるらしい。そして運良く雨が降ることもある。すると壺には雨水がいっぱい溜まり、カエル氏は脱出して、自分の姿を恥じる必要もない湖底に戻ることができるのだ。

カエルシェイク

昔、万全の装備に身を固めてこの湖を訪れた探険家たちは、湖底は文字通り「何十億匹もの」大きなカエルであふれかえらんばかりだったと報告している。全長50センチ級の大物もたくさんいたようだが、残念ながら、巨大ガエル繁栄の時代は終わってしまった。カエルはほとんど残っていない。わずかに残っているものもそれほど大型ではない。凋落の原因のひとつになったのが、湖からほど近い所にあるペルーの首都リマで起こった「カエルジュース」の大流行だった。新しもの好きの博学なコスモポリタンたちが、カエルの生皮をはいで、蜂蜜と何かの根っこを混ぜ合わせ、ミキサーにかければ、媚薬ができると考えたのだ。もちろん、生皮をはがれたカエルがミキサーにかけられるのを見た恋人が、その気になってくれるとはとても思えないのだが。

プラス アルファ

ウル族はインカ帝国の時代以前からチチカカ湖の上に住んでいる人々だ。「なるほど、チチカカ湖に島があるんだ」と思われるかもしれない。だが、驚くべきことにそうではない。彼らは人工の小さな浮島に住んでいるのだ。彼らは、葦を何層も何層も重ね、水に浮く（そして少しずつ朽ちていく）平らな浮島をつくる。この葦の島の上でウルの人々は、牛を飼い、家を建て、石のかまどの上で火も焚く。これは決して悪い生活ではない。特に、血に飢えた征服者たちの襲撃をたびたび受けるような場合には具合がよい。錨を上げて、家だけでなく村ごと移動してしまえばよいのだから。

こののどかな光景をよくご覧ください。明日には、この島はどこか見えない所を漂っています。

第4章

4

爬虫類

鳥たちが羽ばたきを始め、哺乳類たちが生き残りバトルを必死に展開するようになるよりはるか昔、いや、恐竜たちが私たちのちっぽけな青い星をのしのしと歩き回るよりも何百万年も前のこと。ふたつの４本脚たちが、もうこれ以上一緒に生活を続けるのはごめんだと言い出した。

太古の大地を踏みしめていた彼ら４本脚のうちの一方は哺乳類の祖先となった。もう一方は、どんどん家族を増やしその姿を多様化させていく。おばあちゃんが食器棚にため込んだ細々した道具類のように、種々雑多、奇妙なものたちの寄せ集めだ。そのなかのひとつが、新しいグループ——爬虫類——となる。さまざまなタイプの冷血動物たち。ワニ、ムカシトカゲ、カメ、ヘビ、トカゲたちのグループである。

彼らが出現したのも、昔、同居に耐えられなくなった２種の４本脚たちのおかげなのだ。

キリストトカゲ

BASILISCUS VITTATUS

こんな名前になったのは、このトカゲが水の上を走っていくのを見た人が、思わず指さして「おお、イエス様！　いったいあのトカゲは何様のつもりなのでしょう？！」と叫ぶからだ。この風変わりな生き物は、メキシコ中央部からエクアドルにかけて生息する、小型のきれいな爬虫類バシリスクの仲間である。

「他にも、ハンセン病を治したりとか、燃える柴の中にいる人と話をしたりとかもできますけどね、それって、なんかちぐはぐな感じなんですよね」

イエスは水をワインに変えたことでも有名だが、キリストトカゲの行う奇跡もこれだったら、文明社会でさぞかし人気者になれたことだろうに——まあ、私こと不祥の動物学者めには無理だった。だから私は、家に代々伝わる財産も、田舎の屋敷も、ケンジントンにある別宅も、この酒精飲料の探求のために人手に渡してしまうことになったのだ。

言うまでもなく、このトカゲたちの最も驚くべき点は、水の上を歩けることである。南北アメリカにまたがる熱帯雨林には、このトカゲがどんなに神々しい名前を持っていようがお構いなしで、伏し拝むどころかブランチのおかずにしようと狙っている者どもが山ほどいる。彼らがどんな奇跡をやってのけようが、捕食者たちはまったく気にも留めない。そこでバシリスクが身につけたのが足の速さ。彼らは後ろ脚だけで走る。奇跡のようなスピードを可能にしているのはこの２本脚の動きだ。また足が非常に大きく、指を広げるとカエルのような水かきがあって、水面を突き破ることなく水の表面張力をうまく利用できる。水面上に小さなエアポケットが生まれ、20メートルも沈まずに水面を走ることができるというから驚きだ。まさに奇跡的だ！

ボキャブラリー

二足歩行

２本の足で移動する利点は数多くある。バシリスクの場合、走るスピードが速くなり、それによって水の上を走ることが可能になった。また頭の位置が高くなるので、周囲の状況がよく見えるようになる。さらに、自由になった前肢を使って、羽ばたく、敵の鼻っ柱にパンチを見舞う、その他何でも好きなことができるようになる。

中南米の各地で、キリストトカゲの行う奇跡を目撃することができる。

トビヘビ属

CHRYSOPELEA

高い所からジャンプして、急降下しながら地面に激突するのをうまく避ける能力を手に入れた動物は数多くいる。そのような動物は皆、滑空できる仕掛けを何かしら発達させてきた。前肢から大きな飛膜が伸びるムササビ、肋骨が大きく張り出したトカゲなど。だが、樹上生活をする滑空動物の王者は、やはりトビヘビだろう。

「トビヘビ」と呼ばれてはいるが、正確に言うと飛ぶことはできない。滑空するのだ。彼らの身体を真っ二つに切ると、ちょうどフリスビーの断面のように見える（本当に真っ二つにしてしまったら、「非常に恨みがましい顔をしたトビヘビ」のよう見えるはずだが、それでも彼の断面はフリスビー的である）。彼らの滑空は非常に巧みで、滑空比はなんと４：１。つまり、30 センチ落ちるあいだに 1.2 メートルも前進できる。

着地場所がどこになるかという問題は弾道学的特性から解決できる。彼らは、空中にジャンプする前にどこに着地するかを決めている。飛ぶ理由は何か。それはまた別の問題だが、その答えは単純だ。長い距離を移動しても消費するエネルギーが非常に少ないので、移動手段として優れていること。さらに、トビヘビを食おうとする捕食者から逃れる方法としてもたいへん優れているからである。

プラスアルファ

これらの「飛ぶのではなく滑空する」驚異的な動物たちの多くが、アジアの熱帯雨林で進化してきた。これは偶然ではない。アジアの熱帯雨林では、樹木と樹木のあいだの間隔が広く、水平移動に必要な距離が大きいので、既成の枠にとらわれない柔軟な水平思考が必要だったのだ。

「そりゃもう、楽しくってうきうきしちゃうよ」

木からジャンプしようとしているトビヘビの軌跡。

トビヘビは、東南アジアの樹上及び空中にいる。

インドガビアル

GAVIALIS GANGETICUS

インドガビアルはとても不思議なワニだ――これはただの言葉の綾ではない。彼らはワニ目のなかでもちょっと変わった部類に入る。信じられない？　ならば、彼らをお宅に招待して１杯ごちそうしてみればよい。忘れられない晩になること請け合いだ。

プラスアルファ

チチュルブの小惑星で絶滅したという説は現在広く認められているけれども、恐竜の数が激減したのは、宇宙からやってきたもののせいではなく、世界最大の火山性地形であるインドのデカン溶岩台地を作り出した出来事によって引き起こされた超地球温暖化が原因ではないかという説もある。隕石衝突説は、証拠も残っており説得力があるが、恐竜絶滅には複数の要因がかかわっていた可能性もあるのだ。

インドガビアル。きわめて魅力的な奴らだ。彼らは、恐竜たちをこの地球上からほぼ根絶やしにしてしまった大異変を他のワニ仲間と共にどうにか生き延びた。これは一面トップを飾るような大ニュースである。少なくとも１種類の太古のモンスターが現存しているということだからだ。むろん、恐竜がどのようにして絶滅に至ったのか、確かなことはまだ分かっていない。最も有力な説は、巨大な岩の塊がこの惑星にドカンと衝突したというもの。実際、メキシコのチチュルブ付近には大衝突の痕跡が証拠として残っているし、世界各地で、ある時期の地層に小惑星由来の物質がたくさん見つかっている。だから、とりあえずこの小惑星説を前提に議論を進めていく。

雄のインドガビアルの吻（くちびる）の先端にある丸いこぶはガラと呼ばれ、成熟するにつれて発達する。ここから泡を吹き出して、ご婦人方の心をとらえる。

「君の所でジントニックを?　悪くないね!」

プラス アルファ

かつては、現在私たちが知っているよりもずっと多くの種類のワニ目の生き物がいた。犬のような姿で疾走し恐竜を捕まえて食べるワニや、昆虫をかりかり食べるネズミのようなワニもいた。なかでも最も悪名高いのは、デイノスクスと言って間違いないだろう。列車の車両ほどもある恐ろしい巨体を誇っていた。

「どうぞどうぞご遠慮なく。君がここに立ってても、私は全然かまいませんからね」

デイノスクスの顎は、中に人が立てるほど大きい。だが、誰もそんな所に立とうなどというばかなことは考えない。

好き嫌いを言っていたら生きられない

小惑星が地球に衝突した後、ほぼすべての植物がダメージを受けたことが分かっている。太陽の光が届かなくなったからだ。これは植物食の動物たちにとっては凶報だ。彼らは当然、すぐに餓死してしまう。食物連鎖の上位にいた捕食者も、ベジタリアンの相棒たちが絶滅するとたちまち窮地に追いやられた。だが腐肉や死肉を食料にしていたものたちにとっては、これは夢のような時代だった。同様に、川の中に住んでいた動物たちもそれほど大きなダメージは受けなかった。彼らが食料として主に頼っていたのは、上流から流されてくるものだったからである。このふたつの要因は、そろってワニたちのプラスに働いた。彼らは、川を住処とし、腹が空けば流れてきたロバの死骸をかじるという生活をしていたからである。

さらに、その間インドガビアルには、洗練された生き物に進化するための時間がたっぷりあった。全長は最大6メートル。ワニ目で最も水中生活に順応しているインドガビアルは、決して小型のワニではない。彼は実によく水に適応している。他のワニにはすばやすぎて捕まえられない魚でもインドガビアルは食べることができる。剃刀のように鋭い歯がぎっしりと並んだ、巨大な細長い吻を持つのもそのためだ。まるで、歯の生えた2本の剣のような口を開いたまま、彼は水中に横たわって待つ。そして、美味しい魚が通りかかった瞬間……がぶり！　このすてきな罠で成果が上がらなかったときには、平たいオールのような尾を使って水中を滑らかに泳ぎ、疑うことを知らない魚たちを、ばしっと川岸にたたきつける。彼は、図体ばかり大きくて鈍重な従兄弟たちと比べると、はるかに高速で泳ぐことができる。細い吻が水を切り裂くオールのような働きをするからだ。雄の吻の先端には、成熟と共に大きくなるガラと呼ばれる膨らみがある。これを使って、シュウシュウ音を出したり、泡を吹き出したりする。ワニのご婦人方には、これが非常に魅力的に映るらしい。一度会ったら絶対に忘れられない奴だ。間違いない。

生息地は3カ所。バングラデシュ、ブータン、インドにまたがる不思議な形に広がる地域だ。

テキサスツノトカゲ

PHRYNOSOMA CORNUTUM

全身とげだらけのチクチク畜生は……あ、失礼。こんな下品な言葉を使ってはいけませんね？
このとげとげ君は、世界でいちばん不味い無駄走になるべく進化を重ねてきた。
少なくとも、あのハギス（訳注：羊の内臓を細かく刻んでカラスムギなどと一緒に胃袋に詰めて茹でたスコットランド料理）**を除けば世界一だ。**

この恐るべき食わせ物は、アメリカ合衆国に生息するトカゲのなかでは最大種。餌は大量のアリ。気が向けばバッタも食べるし、小型の甲虫をデザートに奮発することもある。また飲むのも大好きで、大雨が来ると、雨粒が背中を流れ落ちるようにお尻を突き出し、口元に流れ込んだ水を飲む。

さて、すでに軽く触れておいたが、このうろこをまとった紳士を本書で取り上げたのは、彼が食われることを心の底から忌み嫌っているからだ。もちろん、十中八九、動物は、自分よりも大きなけだものに引き裂かれて小さな肉片と化することを好まない傾向がある。当然、そんな不愉快きわまりないエンディングを迎えないために、動物たちは数々の進化を遂げてきた。テキサスツノトカゲはどうだろうか。危機的状況に陥ったとき、テキサスツノトカゲはぴたっと動かなくなる。あまり賢い手ではないのではないかとお思いになるかもしれないが、このつむじ曲がり君には奥の手がある。彼がじっと動かないでいるのにも理由がある——とげだらけの身体が非常に優れたカモフラージュとなるのだ。もし、それでも見つかってしまったときには、さらに予想外の行動に出る。なんと眼から血液を噴射するのだ。それだけでも衝撃的だが、その上、その血液がコヨーテの大嫌いな味なのだそうだ。

「それ以上近づくなよ。
血を見ることになるぜ」

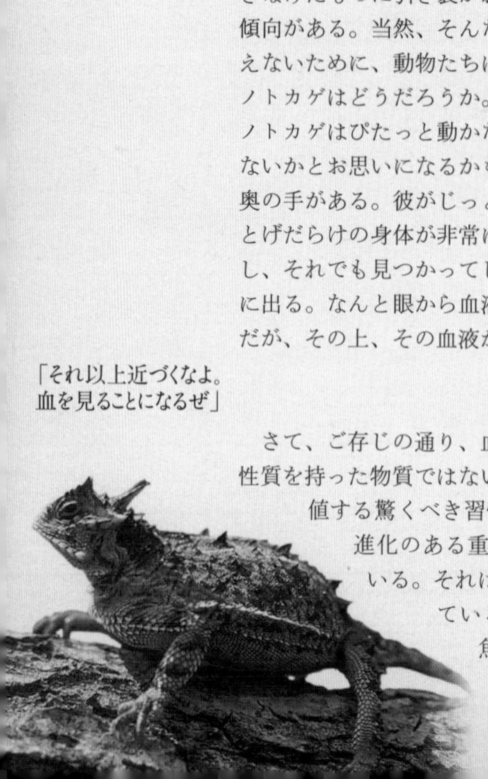

眼に何か入った?

さて、ご存じの通り、血液は、本来「眼から噴射される」的な性質を持った物質ではない。テキサスツノトカゲの行動は瞠目に値する驚くべき習性だ。ただ壮観だというばかりでなく、進化のある重要な側面を実に的確に証明してくれている。それは、進化で利用できる材料は数が限られているということだ。進歩的な思想を持つ魚が陸に上がるのを助けたひれ足は、気腹を空かせた捕食者を撃退するため、赤い物質を噴出させた瞬間のテキサスツノトカゲ。

「『私をお食べ』とは言わないよ。
並みのトカゲじゃないんだからね」

ボキャブラリー

遺残構造

生き残りのために必須のすばらしい身体構造がある一方で、使われなくなってしまった器官も存在する。これらは「遺残構造」と呼ばれている。非常に小さくなってしまっても、身体の内部にその痕跡をとどめているものだ。ヘビやクジラにも骨盤がある。マナティーには足の爪がある。飛べなくなった鳥にもまだ翼は残っている。霊長類の最先端を行く私たちももちろん、たくさんのもう使い道のなくなってしまった器官を持っている。鳥肌を立てるために使われる小さな筋肉や虫垂の他にも、私たちには、小さいけれども霊長類的な尾まである。これらは「インテリジェント・デザイン説（訳注：生命や宇宙の精妙なシステムは知性のある何者かによって設計されたとする説）」がどれほどの戯言かを証明する好例だ。

が遠くなるほど長い時間をかけて、さまざまなすばらしいものへと進化した。脚、かぎ爪、手、翼などなど。時には、またひれ足に逆進化したものもある。私たちの耳を構成する小さな小さな骨は、昔、単純な顎の一部だった。どの動物も、だいたい同じ部品や材料からできている。その部品や材料が、ゴムでできているように、ぐーんと伸びたり、違う方向に曲がったりして、新しいものができるのだ。ということで、進化には青写真がある。だから、テキサスツノトカゲが食事のネタにされそうになると眼から毒のある血液を噴射するように進化したのも、当然の流れなのである。

テキサス州以外にも、テキサスツノトカゲの生息という幸運に恵まれた州がある。ただし彼らは、ともすると一つ星の州テキサスがどんなによい所か、自慢するきらいがある。

そんなもの、食べられません

先に述べた通り、テキサスツノトカゲはアリが大好物である。だが、ここにひとつ問題がある。彼が最も好むのはシュウカクアリ。だが残念ながら、このアリは、最近南米からやってきた甚だしく非友好的なアカカミアリ（54～55ページ）に生息場所を奪われつつある。この新しい舶来の食べ物も試してはみたのだが、どうも口に合わなかったらしく、彼の食べられるものがどんどん減少しているのだ。これに追い打ちをかけるように、アカカミアリを駆除するために用いられる殺虫剤が、このトカゲ自身にも悪影響を及ぼしている。この不味い無駄走君が、別の不味くて食えない奴によってこの地球から姿を消そうとしているのだ。

コモドオオトカゲ

VARANUS KOMODOENSIS

ある島に巨大な生物がいた。いや、キングコングやゴジラの話ではない。本書をお読みのみなさん、ご集合ください。これから始まるお話は、どこを取っても驚異的。どこから見ても忌まわしいモンスターの物語です。

1492年、ドイツの海洋探険家マルティン・ベハイムが、金属の球に地図を被せたものをつくって、エアダプフェル（直訳すると「地球リンゴ」）と名づける。アメリカ大陸が欠けている代わり、架空の国が2、3書き加えられていたが、これが世界最初の地球儀である。2番目に古い地球儀の由来はよく分かっていない。ハント＝レノックスの地球儀と呼ばれているその地球儀がつくられたのは1503年から1510年のあいだ。さまざまな説があり、正確には不明。そのアジア地域の部分には、まことに驚くべき記述が見事な装飾文字で書かれている。Hic sunt dracones（ここにドラゴン住まえり）。非常に有名な台詞なので、現存する古地図でこの銘文が登場するものは唯一この地図だけというのも驚異的だが、さらに驚異的なのは、この銘文が正しいことが証明されたことだ。

緊急着陸

1908年、飛行家の草分けであったあるオランダ人が、東インド諸島のはずれのサメがうようよしている海に不時着する。一時は死を覚悟した彼だが、とりあえず命が助かったことを喜んだ。だが、周囲を見回したとたん、そんな気持ちも吹っ飛んでしまう。なにしろ彼が足留めを食らっていた場所は、全長3メートルの人食いトカゲがよだれを垂らして群れをなしている島だったのだ。3ヵ月後、なんとかこの最悪の窮地を脱して故郷に帰ると、ドラゴンの島で彼が経験した稀代の冒険物語を誰彼

コモドオオトカゲ：全長3メートルのトカゲ。テーブルマナーは最悪。

「何言ってるんだい。私は、誰かが（／を）食べ終わらないうちに途中で席を立つなんてことは絶対にしないよ」

コモドオオトカゲが住んでいるのはコモド島だけではない。泳ぎが非常にうまく、リンチャ、フローレスといった近隣の島でも見かけることがある。これらの島々の住人は、自宅の玄関先に彼らが訪ねてきたら、さぞかし喜ぶに違いない。

ボキャブラリー

島嶼巨大化

大型哺乳類の補食動物はごく小さな島の生活には適応できない。歩き回れる空間が十分にないからだ。そのような島では、鳥や爬虫類が大きな哺乳類に代わる役割を果たすようになり、異常に大型化することがある。この現象を「島嶼巨大化」と呼んでいる。逆に大きな動物が島では小型化することがある。こちらは島嶼矮化（117ページ）という。

構わず、片っ端から話して聞かせた。ところが、残念ながら誰も真剣に取り合ってくれない。どうやら、オランダという国では年がら年中いもしない不思議な生き物の幻覚を見るというのは珍しくないことだったらしい。不運なオランダの友人の不時着から何年も後になって、ジャワ島にコモドオオトカゲの皮と骨がもたらされ、ある学者先生が論文を書いた。だが、世界的に有名な探険家W・ダグラス・バーデンがこの堂々たる生き物の姿を一目見るために遠征を企てたのは、ようやく1926年になってからのことだった。コモド島のドラゴンたちにとって不幸だったのは、当時「生き物の姿を一目見る」とは、一般に「生き物の体内に鉛の粒をたっぷり送り込む」という意味だと解釈されていたことだ。

私を食わないでくださいとコモドオオトカゲを説得するには、この金額では不十分だ。

島から島へ

このがっちりと大柄なトカゲは、他のオオトカゲの仲間と同様オーストラリアで進化を始めた。1,500万年前、オーストラリアはずるずると東南アジアに衝突する。そのときに、一部のオオトカゲがそこにあった島々に移り住んだ。そんな小さな島々のひとつコモド島では、巧妙な進化の法則に従って島嶼巨大化の典型的な実例となる。さらに、彼らの大きな口には厄介な細菌がたくさん住みついている。つまり、運悪くこのろくでなしに咬まれると、じわじわと敗血症に犯されるということだ。最近、コモドドラゴンの下顎に毒腺があることも明らかになった。この毒は、ショック症状を引き起こし全身をぐったりさせる。3メートルのトカゲに咬まれても、ショック症状を引き起こしてぐったりしない者がいるとでもいうのだろうか。なんという念の入れようだ。

だが、大きな、恐ろしい人食いトカゲにも、好ましい一面がある。このドラゴンも、非常に知能が高いということが分かってきた。彼らは遊び好きなのだ。飼育下のコモドオオトカゲは、飼育係ひとりひとりを識別することができるようになるし、芸も覚える。

プラスアルファ

コモドオオトカゲは、何のためらいもなくあなたをむしゃむしゃと食べてしまうだろう。正真正銘人食いだ。この30年間だけ見ても、すでに5人の人が殺されている。この悪魔のような冷血漢には、共食いという悪癖に陥る傾向すらある。彼らの食料の10%はコモドオオトカゲの幼体なのだ。コモドオオトカゲの子どもたちが樹上生活を選んだのも無理はない。赤んぼうを食べるのは、どんな社会でも忌み嫌われる行為だ。だが、コモドオオトカゲは必要に迫られてそうしている。彼らが住む島には、獲物になる中型の生き物がほとんどいないのだ。

第5章

5

鳥類

数百万年前のこと、恐竜と呼ばれるうろこを身にまとった暴れん坊たちが、水溜まりのある大きな丸い岩の塊の上を闊歩していた。そのうち、どしんどしんと緩慢に歩き回るのがまだるこくなった1、2の恐竜たちが、血液を温かくしてすばやく動ける身体を持つようになる。また、どうも寒さがこたえるようになったと言って、ふわふわした上着を新たに進化させた者もいた。

この羽毛を身につけた恐竜たちは、すぐにこの羽毛を使っていろいろとお楽しみができることに気づく。おしゃれをするのにも使えるし、形をさまざまにおもしろく変えてみることもできる。やがて羽毛は、持ち主が何かを跳び越えるのを助けてくれるほど大きくなる。そこまでくると、持ち主たちがそれを使って空を飛び始めるまでにそれほど長くはかからなかった。

水溜まりのある我らが岩の塊に隕石が衝突して恐竜たちが姿を消すと、それによってできた小さなすき間を生き残った者たちがどんどん埋め始める。彼らは空を舞い、大海原を遊弋する。さらに、あの羽毛を生やした大きな暴れ者たちと同じように、地上を闊歩する者も現れた。

コウノトリ科

CICONIIDAE

コウノトリはすばらしい鳥だ。毎年どこからともなく突然姿を現すことで知られている。驚くべきことに、人々は彼らがどこからやってくるのかずっと突き止めることができないでいた。謎の答えが明らかになったのは、少しばかり首を痛めた1羽のコウノトリがやってきたおかげである。

堂々とした姿のコウノトリ。非常に大型の鳥で、威厳に満ちている。しかし、ハツカネズミのようにひっそりと物静かだ。コウノトリには鳴管——鳥が発声に用いる器官——がない。数少ない、鳴かない鳥の1種なのだ。だからこそ、鳥の王国最大の秘密を何千年ものあいだ守りおおせたのだろう。

コウノトリは、しばしば赤んぼうを運んでくる——現在このように考えられているが、昔は、どこからともなく突然ヨーロッパに姿を現すことが評判に

プラスアルファ

ライト兄弟の着想の源となったオットー・リリエンタール（1848 – 96）のグライダーは、コウノトリからヒントを得たものだ。リリエンタールは、コウノトリを研究し、それから、工業学校に進学。さらにコウノトリ研究を進め、ついに驚異的なグライダーを製作して、急な丘の斜面から空へと飛び立つことに成功する。リリエンタール最後の飛行は1896年。高度17メートルで急に揚力を失い、脊椎を骨折した彼は、翌日ベルリンで亡くなった。彼が遺した最後の言葉は、「Kleine Opfer müssen gebracht werden（小さな犠牲は避けて通れない）！」だった。

「実を言うと、考えを改めました」

➤ コウノトリは鳴管を持たない。その代わり、くちばしをかたかたと打ち合わせてコミュニケーションの手段にしている。

「私は、威厳を持って黙秘します」

ボキャブラリー

鳴管

人間で言えば喉頭に当たる部分。腱が震動するのではなく、気管が左右の肺に向けてふたつに分かれる部分の壁を震わせる。そのため、同時にいくつもの声を発することができる鳥もいる。

なっていた。彼らはヨーロッパでつがいをつくり、雛を育てる。そして、現れたときと同じように突然姿を消す。やがて人々は、コウノトリを、幸運の訪れと結び付けて考えるようになる。赤ちゃんはどこから来るの、とティミー坊やに聞かれて、うまく答えをごまかすためにコウノトリを利用するようになったのは、ずっと後になってから。昔の博物学者たちは、毎年冬になると姿を消すヨーロッパのコウノトリのこの注目すべき習性に頭を悩ませていた。その謎が解けたのは1822年、ある非常に不運な紳士がドイツに到着したときのことである。その紳士は、プファイルシュトルヒ Pfeilstorch と呼ばれている。もう少し文明の進んだ言葉で言えば、「矢のコウノトリ(arrow stork)」。このコウノトリは首に矢が刺さった状態でやってきたのだ。その矢はなんとアフリカで使われているものだった。そこで学者先生たちは、鳥は季節ごとに長い距離を移動するのではないかと推測した……いわゆる渡り鳥である。それ以前は、コウノトリが冬になると突然姿が見えなくなるのは、ネズミに変身するからだとか、海の底でみんなで眠っているのだ、などと考えられていた。

コウノトリは世界を股にかけて飛び回る、まさにジェット機族。世界中、あらゆる場所に姿を現す。

プラスアルファ

ハゲコウ。別名葬儀屋鳥。コウノトリ科のなかで最大の鳥だ。大きいものは体高1.5メートルにもなる。翼開長も、飛ぶ鳥で最大のアンデスコンドルに引けを取らない。葬儀屋の衣装のような羽根をまとった陰気な姿で、一日中アフリカの平原の死肉を片づけているこの鳥は、葬儀屋鳥というあだ名がぴったりだ。ハゲコウには自分の脚に糞を塗りたくるという習性もある。この点だけは葬儀屋さんとは似てもにつかないところだ。

「ガスレンジでパイプに火を点けるコツがどうしてもつかめなくてね」

ハゲコウは本当にぞっとする姿をしている。ゴミ捨て場で食べ残しを漁っているのもよく観察される。彼らと比べたらドブネズミなどかわいいものだ。

コクホウジャク

EUPLECTES PROGNE

コクホウジャクは、女の子が大喜びしそうな、巨大なナニを持っている！　あ、いえ……英名の、long-tailed widow birdを見れば、話のオチがばれてしまいますね……この鳥はご婦人方に大受けの長い尾羽を持っているのです。

アフリカ南部の草原に生息するコクホウジャクは、スズメほどの大きさの鳥だが、雄はなんと60センチもある長い尾をなびかせて雌のコクホウジャクの目を奪おうとしている。

この立派な持ち物の主たちがかくも見事な尾羽を進化させたのは、性淘汰の結果である。彼らは住処である草原を飛び回ったりダンスを舞ったりしながら、その巨大な一物を見せびらかす。だが私ども不思議議纂録協会でこのすばらしい鳥を詳しく取り上げるに至ったのは、彼らの尾羽自慢のためではない。むしろ私たちが注目するのは、尾の短い、地味な姿の雌のほうだ。トリックプレーの得意な進化の法則を、陰で糸を引いて操っているのは雌なのである。彼女たちは、雄の姿を見て気に入ると結婚に同意する。進化の力が鮮やかに発揮されるのは、この「雌による配偶者選択」と呼ばれるものにおいてだ。ご婦人の数はいつも不足している……本当だ、雌の数が余っているということはない。雌は子育てのために多くの時間を取られるので、すべての雄に行き渡るだけの雌はいないのだ。男性は、何人の女性を相手にしてもいいと言われ、ちょっとした時間をもらえれば、相当大人数な子どもの父親になれる。それどころか、科学技術を駆使しき

見事な一物を誇示するコクホウジャク

➤ 人間の場合も「性選択」の力が働いていると信じていたダーウィン。ひげの長さは、良好な健康状態を誇示するものだと考えていた。

わどい描写の絵か何かの助けを借りれば、ひとりの男性が、ものの１分間で数億もの子種を放出することが可能だ。

やぶ中の２羽よりも手中の１羽

一方、雌は時間と手間を投資して子どもの世話をする。最初は、大きな高エネルギーの卵を作り出すことから始まる。楽しいこと好きで進歩的な種の両親なら、卵は雌の体内で受精する。受精してしまえば、パパは何か崇高な任務を果たすためにどこかへ行ってしまい、ジュニアのほうは温かく安心なママのお腹の中で栄養をもらいながら成長する。要するに、父親はいくらでも子どもを持てるが、母親はわずかな数の子どもしか持てない。したがって、ママの関心は最高最良の父親を選び出すことに注がれる。雌による配偶者選択です。

雄のコクホウジャクの場合、長い立派な尾羽を誇示することによって、自分がどれほど魅力的かをアピールする。雄の尾羽の先に何か継ぎ足しただけでも魅力が増すらしく、雌たちはそんな雄にさらなる喜びを提供したという実験結果もあるくらいだ！　もちろん、この効果は雪だるま式に増大していく。長い尾羽の紳士連はより多くのご婦人を獲得できる。ご婦人方の子どもたちは、さらに長い尾羽を持っている……尾があまりにも長くなりすぎて飛ぶのに支障を来すようになったり、いちばんきらびやかな尾を持つ雄が必ず捕食されてしまうようになったりするまで、このプロセスは止まらない。

「人類史上最高の概念を生み出した私ですが、恋愛のほうもなかなかの達人なのですぞ」

ボキャブラリー

性陶太

ある遺伝形質が出現する過程を説明するために性淘汰理論を提言したのは、チャールズ・ダーウィンだ。この理論にはさまざまな側面があり、理論自体も長い年月のあいだに進化してきた。雄同士が徹底的に相手をたたきのめそうとする「雄－雄闘争」、雌たちがいたずらっぽくクスクス笑いながら、教会の祭壇に向かって一緒に歩きたいのは誰？と雄たちを指さす「雌による配偶者選択」、その他「精子競争」など、一癖も二癖もある進化の戦略が存在する。

➤ この非常に巨大な一物を備えた鳥は、アフリカのいちばん南のほうに住んでいる。

ヤケイ属

GALLUS SPP.

セキショクヤケイとハイイロヤケイは、熱帯に住むとても威勢のよいキジ科の鳥だ。東南アジアのジャングルにいる。羽をむしられた姿のほうがみなさんの目にはなじみ深いかもしれない。なにしろ彼らは、私たちがよく慣れ親しんでいる、そしてとても興味深い鳥、ニワトリの直接のご先祖なのだ。

美味なるものの集大成たるニワトリは、この2種のジャングルに住む野生の鳥を交配してできた鳥だ。さて、ちょっと哲学的に。世界に遍在するこの旧ヤケイ、ニワトリとはいかなる存在であるか？

これまでに、美味さ遺伝子を持つ太った鳥が数多く、食い尽くされてこの地球から姿を消している。ドードー然り、オオウミガラス然り。さらにはリョコウバト。そして、いまやカカポの番になろうとしている。だが、まったく逆のシナリオもある。気に入った動物を飼いならし、世話をし、繁殖させて、ものすごい数にまで増やす——ニワトリの数は240億羽、地球上の鳥のなかで最多だ。進化という視点から見れば、これは驚異的な大勝利だ。また、この魅力的な生き物は、性周期によって手のひらサイズの小さな包みを排出する。私たちはそれを年に690億個も消費している……いえいえ、私たちふたりだけじゃありませんよ……人類全体での話です。

「ところで、ヤケイっていうすばらしい鳥の話はどうなったんだい?!」。あなたのおっしゃることは分かります。その通り、ヤケイはとてもすばらしい生き物だ。ただ残念ながら、彼らについて故郷の母にわざわざ手紙を書いて知らせるようなことは特にない。ひとつだけ申し上げておこう。ヤケイの味は、確かにニワトリにちょっと似ている。

プラスアルファ

ニワトリは、頭がなくても生きていた唯一の動物だ。1940年代のコロラド。ニワトリのマイクの運命には暗雲が立ちこめていた。首をちょん切られることになっていたのだ。斧が振り下ろされ、首がころりと転がり落ちる。だが、マイクは首なしのまま生き続けた。農場主が彼の頭を切り落としたとき、どうやら脳の一部が身体のほうに残り、呼吸調節などの仕事を続けたらしいのだ。マイクはそれから18カ月間生き続け、『タイム』や『ライフ』といった有名雑誌にも登場する大スターとなった。

ハイイロヤケイがよく見られるのはインドのほぼ全域。一方、セキショクヤケイの本拠地は、ヒマラヤ山麓の丘陵地帯から中国、東南アジアにかけて。

ヒクイドリ属

CASUARIUS SPP.

本当の意味では恐竜は絶滅しなかった。意外に思われるかもしれないが、彼らは生き残っている ただ、住所を変えて変装しているだけなのだ。最も恐るべき恐竜、Ｔレックスを含む仲間は、今も私たちのそばにいる。驚くなかれ、鳥は現在獣脚類に分類されている。そしてそのなかでも、ヒクイドリは間違いなく最も危険な奴である。

かつての学者先生たちは、恐竜はのそのそ歩く鈍重なトカゲ、今日のうろこをまとった冷血動物たちと似たようなものだと考えていた。だがその考えは、デイノニクスという恐竜の発見によって改められる。彼は、従来の恐竜観には当てはまらなかったのだ。その骨格から明らかになったのは、彼が高速で走り回り、獲物に跳びかかって、足の後ろに付いている巨大な鎌のようなかぎ爪を用い、捕まえた獲物を引き裂き、突き殺すハンターであったこと。そのような活動的な生活スタイルは、温かい血液を持っていない限り不可能……恐竜は、トカゲよりもずっと鳥に近い生き物だったに違いない。

恐るべき祖先たちが後継者として最も誇りに思うであろう鳥が、ヒクイドリである。実に強大な鳥だ。蹴られれば骨も折れる。真上に1.5メートルもジャンプする力がある。さらに、まるで短剣のようなかぎ爪のある長さ12センチの第２指を振り回す。だが、ヒクイドリがそれほど凶暴なならず者というわけではないことも伝えておきたい。いろいろと大げさに言い立てられてはいるが、ヒクイドリによって命を落とした人間はたったひとりしかいないのだ——ヒクイドリを棒で叩いた幼い少年が、襲われただけである。

ボキャブラリー

アビアラエ類

白亜紀と第三紀の境界で起こったあの大事件を生き延びた唯一の恐竜がアビアラエ類。そこからふたつのグループが誕生する。スカンソリオプテリクス科の生き物と鳥類だ。スカンソリオプテリクスは鳥と同じくらいのサイズで、身体は羽毛に覆われ、樹上で生活していた。しかしあまり詳しいことは分かっていない。

プラスアルファ

ちなみに、ヒクイドリは史上最も恐ろしい鳥ではない。その称号をいただくのは、その名もずばり「恐鳥類」。捕食性の恐竜がこの地球に別れを告げたときに、その後継者となった。絶対にこいつを相手にトラブルは起こしたくない危険な存在だ。体高約2.75メートル。馬でも食える。幸いこの非常に恐ろしいくちばし野郎は、すでにこの世から姿を消している。

「いちばん偉いのは誰か、忘れちゃいけないぜ!」

できれば出会いたくないヒクイドリ。ニューギニア及びオーストラリアにいる。

吸血フィンチ

GEOSPIZA DIFFICILIS SEPTENTRIONALIS

ビーグル号で世界を旅していたとき、チャールズ・ダーウィンは多くの興味深い鳥に出会った。特に彼は、ガラパゴス諸島の鳴禽類に心を奪われる。だがこの偉大な人物は、本国イギリスに帰り着くまで、これらの鳥がすべてフィンチであったことに気づかなかった……。

オオガラパゴスフィンチは大きなくちばしを持ち、それで硬い木の実を割る。

「ダーウィンフィンチ」という名前で一括りにされる鳥のなかに、うっかり見逃してしまいがちだが、悪魔のようなちびがいる。この小さな脅威、吸血フィンチに心を奪われろと言われてもなかなか難しいかもしれない。ビーグル号がやってくるはるか昔、1、2羽のフィンチがこの島々を住処に定めた。そこからさまざまな環境に適応し、ガラパゴス諸島のあらゆる状況を利用して進化を重ねる。そのなかで、吸血フィンチはその土地の「悪役」という生態学的ニッチを占めるようになったのである。

吸血フィンチは、ハシボソガラパゴスフィンチの亜種である。ガラパゴス諸島のなかでも小さなふたつの島、ダーウィン島とウォルフ島で進化してきた。どちらも非常に乾燥した小島で、フィンチたちは水気の多い食料を探すことを覚える。水分をたっぷり含む多肉のサボテンをつついて食べる。身体の大きな強い鳥になると、他の鳥の卵をつつき割って食べるものもいた。世代が下ると、岩棚から落とせば卵が割れて美味しいスクランブルエッグができることに気づいた鳥が現れる。だが、他の鳥の卵を粉砕するだけでは飽き足らず、もっとたちの悪い行動に及ぶ吸血フィンチがいた。ならず者たちは卵が孵るまで待つ。そして、孵化した雛の小さな羽根をむしり取り、そこから血を飲む。しかも、さらに悪癖はエスカレートする。この恐るべき鳥は巣ごもりをしているカツオドリ（126～127ページ）の背中をつつき、悪鬼のようにその血液を吸うのだ。不思議なことに、カツオドリたちはあまりいやがっているように見えない。小さな鳥がやってきて寄生虫を捕るために自分の身体をつつくのは普通のことだと思っているのだと考えられている。もちろん、カツオドリたちが救いようのないおばかさんたちだという可能性も否定はできない。

「吸血鬼だ！　早く。君の十字架を奴に突きつけて！……よし、やったぞ。おい、君。僕の身体をつつくの、やめてくれよ!!」

吸血フィンチがカツオドリの血液をすすっているところ。

吸血フィンチが見られるのは、ガラパゴス諸島のなかでも、ふたつの非常に小さな島だけ。カツオドリのみなさんはほっとしておられることだろう。

マメハチドリ

MELLISUGA HELENAE

キューバ生まれのスンスンシートことマメハチドリは、小さな小さな、世界最小の鳥だ。体長はわずか5センチ、ハチと大差ない。体重はゼムクリップよりわずかに重いくらい。この小さな小さな鳥は、常に死と隣り合わせの暮らしをしている。

マメハチドリはキューバのみで見られる鳥。ただし、かなり一生懸命にならないと見えない。

マメハチドリの雄……実物は、この写真よりほんの少しだけ大きい。

マメハチドリの巣は、半分に切って黄身を取り除いた茹で卵に似ている。マメハチドリ自身の卵もご想像の通り極小――コーヒー豆サイズだ。とても朝食にいただくわけにはいかない。この小さな鳥の羽ばたきは、なんと1秒間に80回。だが、求愛行動中には、1秒間に200回という猛烈なスピードで羽ばたく。

この鳥の小さな小さな心臓の鼓動は、1秒間に1,200回という信じられない速さだ。さらに、そのあいだに500回も呼吸する。当然ながらその代謝スピードは、あらゆる動物のなかで最速――食べたものをものすごい速さでエネルギーに変えなければならない。彼らがひっきりなしに食べているのはこのためである。

彼らは日々の暮らしに追いまくられている。1日1,500前後の花を訪れ、ストローのような舌を使って蜜を吸うが、時々気分が乗れば昆虫を吸い込むようにして食べることもある。食べたものはものの数分で消化される。身体があまりに小さいので、未消化の食べ物を入れておくスペースがないのだ。しかも、驚異的な量のカロリーを摂取する。もし、私たちがマメハチドリ並みに活動したら、通常の約70倍食べなければならないだろう。

夜、彼らはエネルギーを節約するため、眠るのではなく冬眠のような休眠状態に入る。夜が明けても、彼らには小さな歯を磨く時間もない（どのみち彼らに歯はないのだが）。目覚めると同時に食べ物を探しに行かなければ餓死してしまう危険があるからだ。

ボキャブラリー

島嶼矮化

島のような環境で、動物の身体が小さくなること、あるいはなった状態。なぜこのような現象が起こるのかについてはいろいろな説がある。例えば、島では存在する食料が比較的少ないので、身体の小さな個体の有利さが明確な差になって現れるから、など。島嶼矮化の例としては、日本にいた小さなニホンオオカミなどがある。

プラスアルファ

地球上最大の鳥について。飛ばない鳥では、体高2.75メートルになるダチョウ。飛ぶ鳥で最大なのは、雄大なアンデスコンドルだ。翼開長は3メートルある。

コトドリ

MENURA NOVAEHOLLANDIAE

昔の人は、この鳥をどう呼ぶかいろいろ迷ったようだ。Smashing lyrebird（スバラシイコトドリ）とか、Why, Isn't He Just Delightful! lyrebird（ナントマアホレボレスルヨウナヤツジャナイカ！コトドリ）とかを試した挙げ句に、「superb lyrebird」（トビキリジョウトウナコトドリ）に落ち着いた。
２種しかいないコトドリ属のもう一方、アルバートコトドリは、
彼の立派な名前をひどく羨ましがっているということだ。

ボキャブラリー

スズメ目

スズメ目と鳴禽類はしばしば同じものだと思われているが、それは間違いだ。スズメ目は、昔の燕雀目のこと。だが、スズメ目の鳥の大部分は鳴禽類……って、混乱しちゃいましたかね。

コトドリ属の鳥は、キジほどの大きさで、オーストラリアの多雨林の地面を走り回っている。彼らは地上の生活がことのほか気に入っているらしい。飛ぶのがあまり上手ではないのだ。何か危険を察知すると、彼らは猛ダッシュで最寄りのウォンバットの巣穴に駆け込む。だが、逃げ足の速さで、このとびきり上等な生き物が本書に登場したわけではない。この鳥たちの本当に不思議なところは、とても信じられないとしか言いようのない求愛行動なのだ。コトドリ属の雄が自己アピールをするための飾り付けは冬のあいだに始まる。ディスプレーを演じるためのステージとなる塚をつくって、ずっと手入れをし続けるのだ。コトドリ属は、鳴禽類のなかでもとびきり複雑な構造の鳴管（111ページ）を持っている。つまり、この驚異的な鳥は最も美しい歌を歌えるということだ。それだけではない。彼らは耳で聞いたどんな音でもまねをすることができる。

「ねえ、ちょっと見てよ、逆向きに付けちゃったのね。変なの」

ジョン・グールドがこの絵を描いたときモデルにしたのは、銃で撃たれ、地球の反対側からはるばる運ばれてきた標本だった——相当乱暴に扱われてきたらしく、雄の尾羽は逆向きになっていた。

「♪……ただのシティ・ボーイ、
生まれも育ちもサウスデトロイトさ……」

雄は、歌を歌い、16枚の尾羽を震わせて雌を扇ぐ。いちばん外側の尾羽は、西洋の竪琴の形をしている。

1930年代のこと、ウィルキンソン夫人という名の女性になついたコトドリがいた。名前はジェームズ。何年ものあいだ夫人から餌をもらっていたジェームズは、お返しに庭で求愛ダンスを踊るようになった。お客が来ていてもダンスは踊るが、必ず夫人がその場にいるときに限られた。「ダンス」という言葉は、誤解を招くかもしれない。

ディスプレーのクライマックスは、実は彼の歌の部分だからだ。ジェームズの歌にはさまざまな音が含まれていたという……ワライカワセミの笑い声のような鳴き声、2羽のワライカワセミが笑い合う声、カササギフエガラスと餌をねだるカササギフエガラスの雛、カンムリモズヒタキ、ムナグロシラヒゲドリ、キイロオクロオウム、アカサカオウム、ナナクサインコ、ノドグロモズガラス、ミミダレミツスイ、ハイイロモズツグミ、トゲハシムシクイ、マミジロヤブムシクイ、ギボウシホウセキドリ、ホシムクドリ、ヒガシキバラヒタキ、キバラモズヒタキ、にぎやかに騒ぎ立てるインコの群れ、アカクサインコ、上記以外で種不明の鳥数種、ほんのかすかに聞こえるはるか遠くで鳴き騒ぐ数千羽のミツスイの声……さらに、砕石機、はては自動車のクラクションまで！

まことに驚異的な鳥ではないだろうか？　このすばらしい鳥については、まだまだ話したいことがたくさんあるけれども、私は、高度な声帯模写のやり方について偉そうにレクチャーできるような人間ではないので、そこはご勘弁いただきたい。

ボキャブラリー

総排出腔

鳥類は、両生類や単孔類、一部の魚類と同様、生殖口と消化管の末端それぞれの開口部が別になっていない。簡単に言うと、すべての仕事をひとつの穴、総排出腔で済ませるのだ。鳥の交尾は、総排出腔同士を接触させるだけ。ほんの数秒で終了する。

オーストラリア南東部及びタスマニア南部の森林でコトドリの「とびきり上等」な姿を見ることができる。

オーストラリアガマグチヨタカ

PODARGUS STRIGOIDES

こちらの、たいへん風変わりな鳥をご紹介しよう。一見するとフクロウのようだが、
オーストラリアガマグチヨタカは、どこからどう見ても
羽根を生やしたごみバケツになるべく進化してきた生き物だ。

ええーと……この驚異の羽根の塊氏の住処は、タスマニアを含むオーストラリア。ニューギニア南部にもわずかに生息している。確かにフクロウに似ているが、実際は、ヨーロッパヨタカやアブラヨタカのほうが近縁だ。このカエル顔君は、夜、森のなかに座って、そうただ座って、昆虫がぶーんと近くまで飛んでくるのを待っている。このがまがえるのような口をした、羽根の生えたでかいごみバケツ君のそばをふらふらと通りかかった運の悪い昆虫は、たちまち自分の犯した過ちに気づく。オーストラリアガマグチヨタカは、「座して待つ」タイプの捕食者だ。川辺にいるカワセミに少々似ていないこともないが、もちろん彼は水に濡れるのなんか大嫌いだ。口のまわりに生えている、ほやほやした頬髭のような羽毛は、食われるのはごめんだぜと思っている者たちのどんなかすかな気配も感じとることができる……そして、ぱくっとやって、彼らの1日をあっという間に台なしにするのを助けていると考えられている。確かに、フクロウも餌探しをするのは夜だ。しかし、フクロウの夜の外出と食事のしかたはまったく違う。彼らは広い範囲を飛び回って獲物を探し、猛々しい足で獲物を串刺しにする。木の枝にとまって、大きな口のそばに何かがふらふらとやってくるのをじっと待つようなことはしない。

オーストラリアガマグチヨタカの隠蔽的擬態能力は超一級で、「スタンピング」と呼ばれる行動をする。木の切り株 stump のように見せかけることを「行動をする」と言ってよいかどうか、いささか疑問ではあるが。

▼ オーストラリアガマグチヨタカ。堂々たるその口にご注目。

「3……2……1……もういいかい?　まあだだよ!」

一般に、何もしないでいることは、見つからないようにするには非常に効果的な方策だ。ほとんどの捕食者が探しているのは……そう、動き回るものだから。その意味でも、フクロウと我らが友人は異なっている。フクロウは、飛び回ったり、ネズミを狩ったり、ホウホウ鳴いたりすることでよく知られた生き物だ。フクロウはしばしば大きな声を上げて騒ぐ。これは、フクロウの知能があまり高くないからだと一般には考えられている。眼が非常に巨大で、灰色の脳細胞のためのすき間があまり残っていないのだ。しかも、そのただでさえ小さな頭脳の大部分は、彼らの強力な眼と耳が集めた膨大な量の情報を処理するために使われている。そうかそうか、ここですか。やっと、オーストラリアガマグチヨタカのフクロウ的なところが見つかりました……彼は、徹底的にまぬけなのだ。最近になって、オーストラリアガマグチヨタカは、当世流行の電灯というものに昆虫が集まってくることに気づいた……問題は、この電灯というものの大半は自動車の前部に付いているということ。カミカゼ特攻隊もかくやというその行動から、適者生存の法則に関する教訓を、この愚かな生き物はかなり痛い思いをして学ぶに違いない。

ボキャブラリー

隠蔽

動物には目立つことを避ける傾向がある。あまり目立ちすぎると、もっと身体の大きな生き物の腹の中に収まるという結果になりがちなので、我らが動物仲間は、姿を見えなくする巧みな方法をさまざまに考え出してきた。これを私たちは隠蔽と呼んでいる。隠蔽的擬態もそのひとつ。オーストラリアガマグチヨタカはこの分野のエキスパートだ。羽毛が木肌にそっくりなのだ。この他にも、動物が見つからないようにする、つまり自分の身体を隠蔽する方法はいくつかある。夜しか外を出歩かない、地下で生活するというのも含まれる。透明になるという方法もある。

オーストラリアガマグチヨタカが見られるのはオーストラリア、タスマニア、ニューギニア南部。ただし、彼らが例によって切り株のふりをしていない場合に限る。

アデリーペンギン

PYGOSCELIS ADELIAE

このかわいらしい小型のペンギンを最初に目にしたのは、フランス海軍軍人にして探険家のジュール・セバスティアン・セサール・デュモン・デュルヴィル。彼女を発見するやいなや彼は妻アデリーの名を取ってアデリーペンギンと名づけた。だが気の毒なことに、彼のロマンチックな愛情表現の輝きはその後だいぶ翳ってしまう。

アデリーペンギンは南極大陸の海岸に住んでいる。ここの天候の変わりやすさは並大抵ではない。幸い、このやんちゃなおちびさんたちは機略縦横で、子孫をよい状態で守る方法をしっかり考え出した。石で巣をつくり、さまざまな自然の猛威から卵をしっかり保護するのだ。しかし巣に使える石はそう多くない。そこで、石をめぐって大げんかがたびたび起こることになる。強い雄が結局いちばん多くの小石を集めることになり、いちばん立派な巣ができあがる。海で1年の大半を過ごしてきた雌のアデリーペンギンは、南極に戻って繁殖相手を選ぶことになるが、すぐに目をつけるのは、しっかり稼いできてくれる強い相手。それは、背の高い立派な巣をつくって自分の力を証明できたペンギンだ。

「恥知らずの娼婦め!」

ところがこの話には続きがある。雌のアデリーペンギンはなかなかの娼婦なのである。ダーリンが背を向けたとたん、彼女はご近所さん——繁殖のパートナーを見つけられなかった雄たち——に秋波を送り始める。いちゃいちゃさせてもらった代金を独身雄ペンギンたちは喜んで彼女に支払う……大枚小石を1個。野心的な雌のアデリーペンギンもいて、1回の繁殖期に62回も自分の身体を売っているところを観察されている。もちろん、デュモン・デュルヴィルの妻アデリー・デュモンが、彼女の名前をもらったペンギンたちと同類であったという記録はない。

デュモン・デュルヴィルが発見したのはアデリーペンギンだけではない。ギリシアの農夫の所有物だった、あの有名なミロのヴィーナスを発見したのも彼である。

プラスアルファ

さまざまな形でセックスに代償を支払う動物はたくさんいる。チンパンジーは肉と交換でセックスをするし、マカクはお返しにグルーミングをする。オウギハチドリは、自分のなわばりの中で餌を雌に食べさせておき、さっとやってしまう。雄のオドリバエの場合はさらに手が込んでいる。彼らは、雌にプレゼントするためにきれいな包みをつくる。彼女は贈り物の包みを開けるが、中は空っぽだ。雄は、その隙を利用して悪巧みを成就する。

もし、アデリーのところに行くことがあったら、必ず、小石を2、3個持っていくのを忘れないでほしい。

オニオオハシ

RAMPHASTOS TOCO

オニオオハシは南米に住む鳥。木々のあいだを飛び回り、果実を食べている。
そのくちばしの、身体全体に対する比率は鳥類王国中最大。
なにしろ、身体の表面積の50%はくちばしが占めている。
なぜこんなくちばしを持つようになったのか。これはちょっとしたミステリーだ。

ひと目で分かる通り、この鳥のくちばしは非常に大きい。どうしてもそこに目が行ってしまう。フランスの博物学者ビュフォン伯ジョルジュ＝ルイ・ルクレールは、このくちばしを「著しく奇怪な」付属器、と表現している。ダーウィンは「オニオオハシが巨大なくちばしを持つようになったのは性淘汰の結果である。さまざまなタイプの鮮やかな色の縞模様をディスプレーするために、この器官が装飾として発達した」という仮説を立てた。これもまた非常に当を得ている。コクホウジャク（112〜113ページ）のように、大きくてカラフルな付属器の多くは、雌に求愛するために発達したと考えられている。

この驚くべき生き物がこのようなくちばしを持つようになった理由を説明する説は他にもある。例えば、果実の皮をむくのに都合がよい、小さな鳥を威嚇するため、視覚的な警告、など。キリンの首と同じように進化したのだという分かりやすい説もあった。確かにこんなくちばしがあれば、手の届きにくい果実を取るのにちょっと便利だ。だが近年になって、ある人物が大発見をする。赤外線カメラをオニオオハシのくちばしに向けたところ、真っ赤に焼けた火かき棒のように輝いていたのだ！　彼の巨大なくちばしの主な使い道のひとつは、ゾウの耳と同じような熱交換器だったのである。自動車のラジエーターのように、ほてった身体を冷やしてくれる。

Ⓐ オニオオハシの生息地は南米各地に点在している。しかし見逃すことはない。くちばしが大きい奴を探せば間違いない。

プラスアルファ

オニオオハシのくちばしがこれほど巨大である理由はひとつではない。直観的にすぐ分かるような理由以外にもっと重要な意味を持つ、適応進化の例は他にもいろいろと知られている——キリンの首の話は特に有名だ。多くの人は、より高い所の木の葉に届くからと考えているが、キリンは闘いにも首を利用している。頭を相手の身体に打ちつけるのだ。長い首は殴り合いでも有利なのである。

「なかなか便利なくちばしっすよ。おまんまを食うのに使ってまさ!」

Ⓐ オニオオハシ。よく注意してみれば、くちばしで居場所が分かるかもしれない。

カカポ

STRIGOPS HABROPTILA

世界で最もよく太った、唯一の飛ばないオウムは、ずんぐりかわいいふとっちょ君。
彼の回想録は、まるで食べられ方のマニュアル本だ。
カカポという鳥は、わざわざとても食われやすい生き物に進化してきたように見える。
あまりにも食われやすかったために、現在残っているのは100羽ほどになってしまった。

カカポは現在、ニュージーランドの南のはずれにある、ふたつの小島に住んでいる。ご存じの通り、ニュージーランドは人類がいちばん最近発見した国々のひとつだ。ここでは鳥類が繁栄した。鳥たちは、通常哺乳類が占めているありとあらゆる生態学的ニッチを占めるべく進化する。大型の捕食者が存在しないので、鳥たちは飛ぶ能力を捨て、森の中、地上を歩いて、種や木の実、果実などを食べながら楽しく暮らしていた。これらは、通常はブタやネズミ、シカなどが餌にしているものだ。なかでもカカポは、かなり食べ過ぎたらしく、ぽっちゃりと太った鳥になった。

「え、つっかえちゃったの? だから言ったじゃない。デザートのおかわりはやめとけって」

月日は流れ、やがて人間がやってくる。このときすでに人間は、たっぷり時間をかけて、非常に好ましからざる客人たり得る能力を存分に発揮してきた。人間がもたらしたものは、忌まわしいもの、カカポが心底嫌いなものばかりだった。人がやってくるまで、カカポはニュージーランドで3番目に数の多い鳥だった。だが美味いものになるというのは、最善の進化による適応とは言えない。そのため、状況が変化するのに時間はかからなかった。マオリ族の人々と彼らが連れてきた犬たちは、たちまちカカポを食い尽くしていった。カカポは、日曜の朝の酒場のカーペットよりもひどい匂いがする。だから居場所を突き止めるのは簡単だった。しかも、危険に直面したときの彼らの反応は、じっと動かなくなるというものだった。文字通り、石のように硬直してしまう。

これら太めのオウムたちはニュージーランド本島からは遠く離れた島にいる。ここよりも気候風土のよろしくないコ地があったとしても筆者は知らない。

プラス
アルファ

さらに第2波の侵入者たちが、ブタ、ヤギ、シカ、馬を連れてきたことが状況の悪化に拍車をかけた。これらの生き物たちは、みんなそろってカカポと同じ食料を好んだからだ。

ポリネシア人にとっては、ネズミも重要な食料だった。彼らにとってネズミのない食生活は考えられなかった。そこで彼らは、ニュージーランドに行くときもネズミを連れていった。悲しいかな、このネズミが、今度はカカポの卵を重要な食料と見なすようになる。しかも、ニュージーランドが与えてくれるさまざまな美味しいものを発見した人間たちは、ネズミのようなものには見向きもしなくなった。

愛は実を結ぶか

さて、歴史上多くの鳥たちが美味遺伝子を進化させてきた。そのうちの多くは、食い尽くされてこの惑星から姿を消してしまった。ドードー、リョコウバト、オオウミガラスなどほんの一例だ。であるから、私ども不思議纂録協会一同は、驚異的な生き物のコレクションにさらにもう少々奇妙さを付け添えるべく、この1項目を加えることにしたのだ。幸いにして、カカポ君はさまざまな話題に事欠かない。

このまるまると太った鳥の繁殖行動は尋常一様ではない。カカポは、ある種の果実が豊富に実る年にしか繁殖しない。そのような年になると、雄のカカポはよちよちと山を登り、尾根にたどり着くと、そこで闘いを始める。時には一方が死ぬまで続くこともあるこの闘いの目的は、最もよい場所を手に入れること。よい場所を確保した雄は、浅い皿のような形のくぼみをきれいに整える。長年にわたってずっと彼らが繁殖に使い続けてきたくぼみだ。完璧に整えられたくぼみに収まると、カカポたちはボウッボウッという低い声を響かせ、近くにいる繁殖相手の雌を呼ぶ。これが4カ月間続くのだ。雄の体重はこの間に半分にまで減ってしまう。

「ほら、ご近所さんたちだよ」

それればかりではない。彼らの性欲の激しさは尋常ではない——何としても交尾相手を手に入れたい、というカカポが、海鳥の死骸相手に交尾しているのが観察されたこともある。この低くよく響く声は、当然ながら数少ない結婚相手以外のものも呼び寄せてしまう。雄のカカポがご婦人を自分のベッドに誘い入れようとするこの試みは、カカポの数を増やすどころか、逆に数を減らしてしまう効果があったと言ってもよいくらいだ。幸いにして、非常に優れた研究結果と並々ならぬ努力のおかげで、1980年にはつがいの数が40組だったが、現在は、野生のカカポが100羽以上になったという。なかなかの成績じゃないですか！

カツオドリ属

SULA SPP.

読者の皆様が期待なさっていたかは分からないが、とにかく、太平洋に住むこの魅力的な海鳥は絶対に外せない。この愛想のよい鳥は船乗りたちのあいだで非常に人気がある。おどけた様子で航海中の船にちょいと立ち寄り「初めまして」と挨拶していく。そのひょうきんな表情や傍若無人なキャラクター、よちよちとおぼつかない足どりにはどんな船乗りだってだまされる。

実はこのすてきな鳥が本書に登場することになったのは、上に挙げたようなことが理由ではない。彼の糞、正確に言うと彼と彼のふたりの友人たち、グアナイムナジロヒメウとペルーペリカンの糞が理由なのである。

インカの人々は黄金の都市を築いたことでよく知られている。だが、彼らが鳥の糞を珍重していたことはそれほどよく知られていない。インカの人々は、この天然の肥料の島を聖所として崇め、聖なる鳥たちをいじめた者は死刑に処せられることになっていた。インカの人々は、母語のケチュア語で、この白い嫌な匂いのする黄金をワヌと呼んでいた。もちろん、スペイン人たちは、先住の人々を単に虐げるだけでは飽き足らず、何でもかんでもスペイン語を話して彼らの顔に唾を飛ばさなければならないと考え、その名をグアノに変えてしまった。

もちろん、糞を重要と考えたのは先住の人々だけではなかった。1800年代には、ゴールドラッシュならぬ一大グアノラッシュが起こる。海鳥のお尻から生み出されるもので一攫千金が可能になった。

プラスアルファ

カツオドリのなかでも最もよく知られているのが、アオアシカツオドリ。ユーモラスな求愛ダンスでもよく知られている。特別大きな足でゆらゆらと足踏みしながら踊る。魅力的な彼らの青い足は、その青色が濃ければ濃いほど雌にはカッコよく見えるらしい。

「何したってかまわねえけどよ、おらの青い水かき足にちょっかい出すのはやめろよな」

このお気楽者が見られるのは熱帯地方ほぼ全域。

1858年だけで、イギリスは30万トンのペルー産グアノを輸入している。主な用途はカブの栽培肥料だった。大英帝国はこのグアノ帝国全体の統治をほとんど一手に引き受けていた。これがおもしろくなかった我がアメリカの友人たちは、こんな連邦法までつくっている。アメリカ市民は、鳥の糞でいっぱいの島を発見した場合、その島全体の所有権を認められる……ただし、島の糞をすべてアメリカ合衆国に送るという条件付きでだ。

ペルー産グアノのブームが最高潮に達したのは、1840年から1880年にかけて。2,000万トンが輸出され、ペルーは20億ドルの外貨を稼いだ。当時は、アメリカ合衆国の大統領よりもペルーの大統領のほうが重要人物だと考えられていたほどだ。やがて、貴重な糞をめぐって戦争がいくつも勃発し、多くの血が流れる紛争が発生する。そのなかで、売り出し中の国だったボリビアが、気の毒にも、現役の海軍を持ちながら海を持たない内陸国になってしまうという事態も発生した。だが、悲惨な状況に追いやられたのはボリビアだけではなかった。南米諸国の抱える苦悩の多くは、かつての貴重な資源の活用を巡る財政上の失敗が原因ではないかと考えられている。もちろん、このような人間のごたごたについてまったく無頓着なのは、あのカツオドリというのんきな連中とそのうんちたちである。

カツオドリ科のなかで最大なのがアオツラカツオドリ。ジョーク・コンテストに出たらブービー賞決定。

第6章

6

哺乳類

恐竜全盛の時代、哺乳類は、ほかほかの毛を生やして温かい暮らしを始めていた。恐竜たちに温かい食事を提供するようなことにならないよう、彼らはこそこそと物陰に身を隠しながら、でかいトカゲどもが倒れ、好機が訪れるのをじっと待つ。

現在、哺乳類の仲間は実に多種多様だが、すべてに共通する特徴がひとつある。子どもに乳を与えるという点だ。これは非常に優れたアイデアだった。ずっと子どもと一緒にいられるので、我が子が何者かに食われてしまうことがないよう目を配ることが可能だったからだ。

さあ、私たちの同類たちをご紹介しよう——すべて、身体の表面にほかほかと温かい毛を生やした仲間たちだ。必ずやみなさんにもその魅力が伝わるはず……そして、心の中まで、きっとほかほかと温かくなることだろう。

ヒメアルマジロ

CHLAMYPHORUS TRUNCATUS

英語でピンクの妖精と呼ばれるヒメアルマジロは、
いくさの装いを完璧に整えた小鬼といったところだ。あなたの手のひらにぽんと収まってしまう。
だが、その鎧は非常に頑丈だ。骨でできた鎧。さらにその外側は角と同じ材質で覆われている。

昔むかし、あるところにアルマジロが住んでいました。彼らは、みんな、超一流の逃げ足の速さを誇っていましたが、1匹だけまわりとは違うアルマジロがおりました。小さなピンク色のアルマジロです。彼は泳ぎの達人でした。何なんだ、これは？　この本にこんな語り口はふさわしくない？　私が申し上げたかったのは、このすばらしい生き物は硬い岩の中を泳ぐのがすばらしく達者だという……はい、はい、すみません。固い岩じゃありません。でも、彼が硬いものの中を進むことができるというのは本当だ。おとぎ話の主人公のようなこの生き物は、砂を泳ぐ者と呼ばれている。砂漠の砂の中をざぶざぶと泳ぎ回るのだ。脅威を感じるとほんの数秒ですっかり砂の中に潜ってしまう。身体の形もボートのようになっている。砂の海の中を、船首が水を切り裂いて進むように鼻先で掘り進む。当然ながら頭も硬い鎧にしっかり包まれ、ダメージを受けないようになっている。

我らがヒーローの鎧は、彼を食おうとする者の攻撃をしっかり食い止めるためにも使われる。巣穴に入ったヒメアルマジロは、瓶の口に栓をするようにぴたりと鎧で穴を塞いでしまうのだ。残念ながら、このハンサムなヒーローを食ってやろうという動物がたくさんいる。これらの存在に、彼らの領土を侵して広がる農地も加わり、ヒメアルマジロの運命は、おとぎ話のようにめでたしめでたしとはいかないようだ。悲しいかな、彼らの数はどんどん減っている。そうならないことを祈るのみ……。おしまい。

プラスアルファ

ココノオビアルマジロの身を守る方法はとてもユニークだ。空中高くジャンプするのである。昔はこの方法で効果的に身を守ることができたのだが、自動車というものの出現によってそうもいかなくなっている。以前は、車輪に踏まれさえしなければ、あまり傷を負うこともなかったが、現在はジャンプしたとたん自動車のラジエーターのど真ん中にどんと衝突してしまう。

ボキャブラリー

ハンセン病

私たちヒトを除くと、ハンセン病という厄介な病気にかかるのはアルマジロだけだ。ハンセン病が直接の原因で身体のいろいろな部分がもげ落ちるということはない。末梢神経を病原菌が食い荒らし、皮膚が引きつって、知覚麻痺が起こるという病気である。知覚がなくなればその部分はけがが絶えなくなる。けがでその部分を失うか、やむなく切断することになってしまうのだ。

▼ ヒメアルマジロはアルゼンチン中央部で見られる。だが、大きなトカゲ相手に戦いを仕掛けたり、昏睡状態の王族にいたずらをしたり、ということはない。砂地の平原を歩き回っている。

セントクリストファー島のサバンナモンキー属

CHLOROCEBUS SPP.

運のよいサルたちだ。カリブ海リゾートのカクテル周辺、という実に羨ましい場所に生態学的ニッチを手に入れている。

サバンナモンキーたちは大いに愉快にやっているようだ。彼らは、セントクリストファー島という楽園のような島にやってきた旅行者に過ぎない。もともとはアフリカにいた。17世紀、カリブの島々にやってくる奴隷船に乗って、ペットとして連れてこられたのである。カリブ海の島々で野生化したサルたちは数を増やし、アンティル諸島全域で毎日のように大騒ぎを引き起こしてきた。特に、セントクリストファー島に住みついた者たちの狼藉ぶりはたいへんだった。彼らは、飲酒の習慣を身につけたのである。初めは、地元のプランテーションで発酵したサトウキビを見つけたのがきっかけだった。だが現在のサルたちはもっと容易に手に入れられる場所を知っている。観光客だ。

いくつもの群れをつくって、森の中からサルたちがビーチに繰り出してくる。そして女の子の姿を鑑賞したり、酒を失敬したりするのだ。もちろん、酔っぱらいはみんな歓迎されるし、サルも大歓迎だ……酔っぱらったサル以上に歓迎されるものがあるだろうか？　さらに、学者先生たちの研究によると、このサバンナモンキーたちの飲酒のしかたは非常に人間的なのだという。どういう意味か？

まず、大多数のサルは、社交的飲酒家である。つまり適量を守り、朝っぱらからなどということはない。15％は常習的な飲酒家。習慣的に酒を飲むようになっている。さらにもう15％のサルたちは、絶対的な禁酒主義者。そして残りの5％は、ただ酒が飲める酒場にたどり着いた船乗りのように酒を飲む。喧嘩をおっ始め、ほとんど立っていられなくなるほど飲む。興味深いのは、群れを支配するリーダー格になるのは、いちばんひどく暴れ回るこの5％のサルたちだということ。

プラスアルファ

もちろん、サバンナモンキーは注目に値するサルである。先に示した通り、彼らは1杯やるのが大好きだ。だが本書に大歓迎なのはそれだけが理由ではない。はっきり言ってしまおう。彼らは、鮮やかなターコイズブルーの陰嚢と真っ赤なペニスを持っている。青色が深いサルほど、社会的な順位が高い。

「そりゃ、昨夜はちっと飲み過ぎたさ。だが、おれにこんないたずらを仕掛けたのは、いったいどこのどいつだい?」

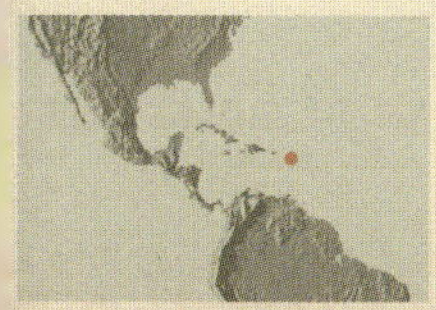

セントクリストファー島のサバンナモンキーは、カリブ海のその島でバカンスを楽しんでいる。アフリカの仲間たちによると、彼はめったに絵葉書も送ってよこさないという……

コビトカバ

CHOEROPSIS LIBERIENSIS

カバ。タフ、と言うくらいでは十分ではない。ひとたび癇癪を起こせば人間をも押しつぶす恐ろしい存在だということは誰でも知っている。だが、彼らの身体が銃弾をも寄せ付けず、どんな地形でも自由に走り回れるということを知っている人は少ない。彼らは生物学的戦車へと進化してきた生き物なのだ。では、コビトカバはと言うと……実は非カバ的な奴なのである。

カバの獰猛さはよく知られている。アフリカで最も危険な動物だと言われることも少なくない。もちろん、カバよりも蚊のほうがはるかに危険なのだが、カバは新聞紙でたたきつぶすわけにはいかない。カバは、ボートを破壊したり、農場や村々でもめ事を起こしたりすることを何とも思っていないが、コビトカバは、そのように暴れ回るのは疲れるから嫌だと思っている。なにしろ彼は人の膝丈くらいの体高しかなく、正直そんな面倒な仕事は苦手なのだ。西アフリカに住むたいへん珍しいカバだ。Hippopotamusとは、ギリシア語で「川の馬」。土地の人々はコビトカバを「川の豚」と呼んでいる。だが、カバの家系をたどっていくと、馬やブタよりももっとすばらしい親戚に出会うことができる。現生の動物のなかで彼らと最も近縁なのは、実はクジラ目——クジラやイルカ——だ。水の中に住んでいて、太っていて、その他いろいろなことがこれで納得できるだろう。

運がよければこの生意気なちびさんたちが西アフリカのブッシュを歩き回っているところを見ることができるかも。

アフリカの恐し
動物ランキンク
ではずっと下のほ
にいるコビトカバ
姿を見れば納得だ。

「恐いなんてとんでもない。
ご一緒できれば、とても愉快な奴だと
思っていただけますよ、きっと」

プラス
アルファ

沈んだ気持ち

90％の時間を水中で過ごすカバだが、おもしろいことに実は泳げない。水の中を移動するときには、川底に沈んでとことこ走り回る。コビトカバは、陸上で過ごす時間がカバよりもずっと長い。どちらのカバも、日に焼けるのを防ぐため、日焼け止めを自前で分泌している。「血の汗」という気味の悪い名で呼ばれているが、この分泌物は実を言うと血でも汗でもない。非常にアルカリ度の強い物質で、日光に当たるとピンク色に変わる。また、非常に強い抗菌作用もある。

コビトカバの背中は丸みを帯びている。そのため、やぶの中をスムーズに移動することができる。通り道には糞で楽しくマーキング。このとき、小さな尾を使って糞を広い範囲にはじき飛ばす。また、彼らは数少ない後方排尿動物だ。尿を飛ばす方向が後ろ向きということ。いろいろと言葉を連ねて私が何を言いたいのかというと、コビトカバは、血に飢えた反社会的でぶっちょではないということだ。攻撃的な普通のカバとは正反対なのである。彼らは、顎の下をぽりぽり掻いてとねだる愛すべきぽっちゃり君だ。だがかなりの幸運に恵まれなければ、野生のコビトカバの顎をこちょこちょしてあげることはできない。

残念ながら、彼らは非常に数が少なくなってしまった。しかも、きわめて恥ずかしがり屋で、こちょこちょしてもらうのは確かに好きなのだが、でかくて危険な従兄弟たちと出会うことを極力避けているのである。

ボキャブラリー

分岐進化

収斂進化（182 ～ 183 ページ）については何度も取り上げているが、おそらく、分岐進化のほうがみなさんにはおなじみであろう。カバとクジラの場合のように、違いが大きくなる進化のことである。

初めて現れたクジラは、およそクジラとは似てもにつかない姿だった。最新の説では、クジラ、イルカの仲間、クジラ目の進化の起点になったのは、パキスタンで発見された化石生物パキケトゥスであろうとされている。学者先生たちは、耳の骨や臼歯の形から、これがクジラの祖先であると考えた。このパキケトゥス（下図）は、5,300 万年ほど前に存在していたイタチっぽいシカ、といった感じの動物で、1 日のほとんどを水辺で過ごしていた。

そこから進化してきたのがアンブロケトゥス（下図）。これも、パキスタンの堆積物の中から見つかった。

……それが、バシロサウルスなどの原始的なクジラへと進化したのである。

バシロサウルスが生きていたのは 3,700 万年前。コビトカバよりもずっと獰猛だった。体長 18 メートル。サメを、まるで白身魚のフライを食べるように、むしゃむしゃ食っていた。

ホシバナモグラ

CONDYLURA CRISTATA

こちらのすばらしいモグラ君と、その華麗な鼻をご覧あれ。彼の鼻は、動物界きっての鋭敏な付属器だと言われている。

ホシバナモグラは、北アメリカ大陸北部の湿地帯に住み、泥水の中を泳いでいる。泳ぎがうまく、小川や池の底で餌を探しているのがよく見られる。本書に登場する動物たちのなかでもとりわけすばらしいのはどんな点か、それは一目瞭然だろう。だが、手榴弾でも鼻に吸い込んだかというような見かけ以外にも、いろいろと特筆すべき点がある。

もちろんこのモグラたちの眼も、トルコのクリケット・チーム並みに無力である。やっと明暗の区別がつく程度だ。だが、彼らは立派な鼻があるおかげで、目が見える必要がない。仮に見えたとしても、どうせ、毛布のように堆積する泥しか見えない。一方、彼らの星の形をした肉質の鼻の敏感さは並大抵ではなく、身をくねらせてそばを通り過ぎるものがいることを必ず感じることができる。触ることができないものでも、彼らは匂いで感知する。哺乳類が水中で匂いを嗅ぐのは絶対に不可能だとずっと考えられてきたが、驚くべきことに、ホシバナモグラは、哺乳類のなかで唯一水中でも匂いを嗅ぐことのできる動物なのだ。鼻から大きな泡を吹き出し、そこに染み込んだ匂いを、泡の空気を吸い込んだときにすばやく判別する。

ボキャブラリー

バイオミミクリ

自然は、何百万年もの時間をかけて驚異のテクノロジーを開発してきた。私たちが生き物の革新的な技術から学ぶようになったのも、ごく自然なことだ。よりスムーズな走行を可能にするために、鳥のような形にした列車の先頭車両や、シロアリの塚のような自然の空調を備えたビルなどだ。この新しい科学のなかでも特に新しい分野は自己組織化する構造体。ホシバナモグラの鼻のように発達したものは世界にふたつとない。これをヒントに、いったいどんな新技術が生まれるだろうか？

「ここらでは、いったい何が起こっているのかな?」

大きな鼻には、触覚、嗅覚、そして電気を感じる感覚が備わっている。さらに、食べ物や泥を鼻から吸い込んでしまわないようにする働きもある。

「それじゃ、また明日、嗅ごうね」

ハナれわざ

さて、「ほとんど役に立たない眼の前に、人の目を引く大きな鼻が突き出た、泥水の中に沈められたコウモリ」並みに目がよく見えないのだが、このモグラの鼻は、それを補って余りあるほど非常によくできている。鼻には、ピンク色で肉質の小さな突起が22本花びらのように並んでいる。このきわめて優れた鼻は、アイマー器官と呼ばれる25,000個の驚異的に感度の高い器官でびっしり覆われている。これは、高感度の小さなこぶのようなもので、感知した情報を脳へと中継する。ホシバナモグラの鼻と脳をつないでいる神経の数は10万。これは、人間の脳と手をつなぐ神経の数のなんと6倍だ。こんな鼻を使えば、泥水の中でどれほどの情報を手に入れることができるか少しは雰囲気をつかんでいただけるだろう。ホシバナモグラの鼻は、眼と同じ働きをしていると言ってしまってもよいくらいだ。

この驚異的な生き物についてもうひとつだけ。ホシバナモグラが動物界で最も早食いだということが明らかになったのだ。食べ物かどうか判断するのにかかる時間が8ミリ秒。食べられると分かってから飲み込むまでに120ミリ秒——瞬きの3倍の速さだ。

アメリカ大陸北東部の少しじめじめした辺りで、彼を嗅ぎ出すことができるか、試してみてはいかが？

プラスアルファ

我々進化しすぎたサルが五感（視覚・聴覚・触覚・嗅覚・味覚）を持っているというのは常識だ。さらに、もうひとつありそうでなさそうな、第6感……超自然的な感覚……についても、常にいかがわしいうわさ話が絶えない。さて、発表しよう。私たちにはちゃんと第6感がある。それどころか、第7、第8、第9、第10感まであるのだ。ただしそれらは超自然的なものではない、と聞いてがっかりされる方もおられるだろう。これはどういうことかと言うと、広く受け入れられている感覚の分類のしかたが時代遅れであるということなのだ。この古典的な五感という考え方を提唱したのは、なんとアリストテレス。だが、このシーツを身体に巻いたひげ男は、痛覚、平衡感覚、運動感覚、時間感覚、温度差を感じる能力、そして、おそらくは、あなたの頭の中に備え付けの微弱な磁気を感じるコンパスの存在を無視することにしたのだ。

ズキンアザラシ

CYSTOPHORA CRISTATA

このカッコよいアザラシは、多くの点で他のアザラシと似ている。魚が好き、サメは嫌い、骨にちょっと余計なお肉が付いたご婦人が好き。だが、頭をいつもの2倍の大きさにまで膨らませ、鼻の穴で、深紅の巨大な風船を膨らませることができる。

ハドソン湾南東部の浮氷にズキンアザラシがごろごろしている。年に1度、雌たちは氷の上に這い上がる。出産するため、そしてもちろんもう一度妊娠するためだ。一方、雄たちもやってきて雌たちのそばに陣取り、ご婦人方が出産のたいへんさを忘れて、ちょっとセクシーなことを夢見始めるのを待っている。新しいママたちは、セクシーとかなんとかそういうばかげたことを考える前に、子どもに乳を与えて育てる。その期間はたった4日間——どんな哺乳動物よりも短い授乳期間だ。驚くべきことに、ズキンアザラシの子は、96時間で身体の大きさが倍になる。これは、乳の成分の60%が脂肪であることと関係がある。

どれもこれも不思議な話だが、そろそろ、あのまったくもって奇想天外な楽しい鼻風船の話題に移ろう。この風船は「このお嬢さんには自分が求婚している最中だ。もしよかったら諸君は別のところに行ってもらえないだろうか？」という単純なメッセージを他の雄たちに伝えている。片方の鼻孔から飛び出してくる深紅の袋が、身体の大きさと男らしさを誇示する——「おい、おれ様

頭と、鼻の粘膜を膨らませているズキンアザラシ——ご婦人方の心をとろかす光景。

ズキンアザラシは、北大西洋の中央部及び西部に分布している。絶対に見過ごすことはないはずだ。

プラス
アルファ

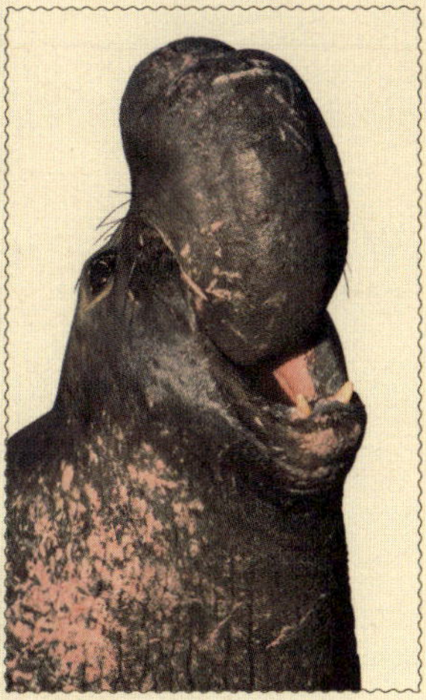

ゾウアザラシ。愛想のよい連中のように見えるが、いつだって戦闘態勢。

とやる気じゃないだろうな」という意味なのだ。大半の動物は実際に闘うことを望んでいないと言ってよい。闘えば、自分が傷つく危険を冒すことになるし、そうなれば子孫を残すことができないかもしれない。それは、最悪の結果だ。そこで雄たちは相手の力を秤にかけ、相手が絶対に勝つなと考えたほうが引き下がるのだ。もちろん、引き下がらない場合は喧嘩が始まる。多くの動物たちが、このようにして闘いを避け、貴重なエネルギーを無駄にせず、けがや、場合によっては死に見舞われる危険を回避するために、相手の力を簡単に値踏みする装置を進化させてきた。

雄－雄闘争の基本は闘いである。ただし、多くの雄たちは賢明にも、もし闘えば誰がいちばん強いかを相手に知らせる方法を発達させてきた。多くの場合、それは強さや大きさを誇示することによる。ズキンアザラシの風船のような鼻をはじめとするこのような闘いを回避する儀式は、自然界の至るところで見られる。現代の戦争では、テクノロジーの進歩に伴い、人間がはるか遠くから殺し合うことが可能になった。狙撃用ライフルの照準器越し、あるいはただボタンを押すだけ。このような方法だと人を殺すのが簡単になるのはなぜだろう？　それは、相手の目を見なくて済むからだ。殺されたくない、と願っている人間の顔を見ないということだ。私たちは、ヒトに備わっていた闘いを回避するための儀式を捨ててしまったのである。

外すために狙う

一般的な動物は、相手を食べ物だと思ったとき以外は殺し合わない。私たち人間の本性は、毛皮をまとった仲間たちよりもずっと複雑だが、それでも相手をできるだけ傷つけないように努力をする。ただ、人間の本性は非常に込み入っているので、このような優しさを、雌をベッドに引き入れるために生き残ろうという試みと単純に結び付けてしまうことはできないが、それでも私たちの遺伝子には相手を傷つけたくないという気持ちが深く刻み込まれていることを知るだけでも、心が楽になる。もうひとつ、すばらしい例を挙げておこう。トロブリアンド諸島の島民は、大昔に戻ったように戦争という概念をすっかり捨て去り、その代わりにクリケットの試合を行うそうだ。なんとまあ高度に文明化された人々だろう。

「もし、アルファベットの順番が変えられるなら、UとIをぴったりくっつけたいな」

お嬢さんに自分を気に入ってもらおうと努力しているズキンアザラシ。彼のやり方は変わっているかもしれないが、彼の吐く口説き文句よりはずっとましだ。

アイアイ

DAUBENTONIA MADAGASCARIENSIS

キツツキのように食べ、コウモリのように進む霊長類。眠っている人を何の目的もなく殺すといううわさもある……本当にそんな動物が存在するなら不思議議纂録協会で取り上げたい！

死にそうなほど驚いて、あなたの背後に何かいる、と身振り手振り必死で教えてくれているような姿のアイアイ。

みなさん、アイアイはキツツキである。いや、確かにキツツキには見えないけれども、マダガスカルにはキツツキが存在しないため、このサルはそのニッチを占めるべく進化してきたのだ。木から木へと移動し、骨っぽい細くて長い指で樹皮をとんとんと叩き、中に虫がいないかどうか確かめる。もし美味しいごちそうがいるとなれば、木に穴を開け、件の骨っぽい細くて長い指でごちそうを掻き出す。

アイアイという名前の由来はよく分かっていない。一説によると、擬音がもとになっているという。アイアイというような音を出すというのだ。実は、擬音から生まれた動物の名前の多くは時代とともに消えてしまっている。古英語ではヒツジを「ブレー」と呼んでいた。古代ギリシア語のワライガエルは「ブレッケケケックス・コークス・コークス」。アイアイの名の由来のもうひとつの説は、マダガスカル語の「ヘエ・ヘエ」から来たというもの。「私は知りません」という意味だ。昔ヨーロッパ人がこの島にやってきたと

アイアイは、マダガスカル島でキツツキの役割を果たしている。くちばしの代わりに、木の皮をかじって穴を開け、長い指を中に差し込む。

マダガスカル東部の熱帯雨林に住むアイアイ。生息数は非常に少ない。絶滅一歩手前のところを、その骨っぽくて細長い指を引っかけてがんばっている。

きに、この動物は何だと尋ね、地元の人が知らないと答えたからだという。同じような名称由来説が南米のリャマにも存在する。スペイン人がやってきて、このヒツジのようなキリンのような動物は何かと考え、地元の人に「コモ・セ・リャマ（これは何と呼ばれているか）？」と尋ねたが、スペイン語がよく分からない現地の人々は、立派なひげをたくわえた新参の変な人々がこの動物をリャマと呼んでいるのだと推測してしまったのだという。

プラスアルファ

オーストラリアとニューギニアに生息するフクロシマリスは、まったく違う種類の動物だが、やはり、長く先の尖った指で木の中に巣くっている虫をパニックに陥れながら、森の中を歩き回っている。たいへん引っ込み思案な動物で、にぎやかな食事の音を頼りに後を付けることができるということ以外、詳しいことはほとんど分かっていない。

ボキャブラリー

ニッチ

中期フランス語の「巣」という言葉が語源。ある種の生物が環境のなかのどこに、いつ、どのようにして居場所を見つけるか、その詳細を指す。具体的には、何を食べるか、ねぐらはどこか、他の種と競合しないために何をするか、といったことだ。例えばアノールというトカゲは、熱帯の狭い地域に同じものを餌にしている7種が住んでいる。だがそれぞれが、林床、木の幹、木の枝先など住む場所を変えて競合を避けている。

フィンガーフード

世界最大の夜行性霊長類は、指でとんとんしながら森の中を歩き回っている。彼らは霊長類で唯一移動のためにエコロケーションを利用している……言わば、サル・コウモリだ。最近ではなかなか愛想のよい動物であることも観察によって分かってきた。だが、いざセックスのことになると彼らの紳士然とした仮面ははがれてしまう。交尾をしている最中の別の雄を引きはがし、自分がやろうとする雄が観察されている。

樹皮を指でトントン叩き、中にいる虫が驚いて騒ぐ音が聞こえるとその虫を捕まえて食べる。

アイアイは人を恐れないことでも有名だ。このふてぶてしい態度と、お世辞にもカッコよいとは言いがたい姿形があいまって、現地の人々に恐れられるようになった。これが彼の没落の始まりである。悪魔の使いとか死の象徴と見なされ、ある部族には、アイアイに指を指された者は死ぬ、もし呪いを解きたければその不運な生き物を殺すしかない、という言い伝えがあるほどだ。

このような迷信に満ちた物の怪扱いには別の一面もある。現地の人々は、死神を避けるようにアイアイを避ける。ならば彼は、夜、森の中を自由気ままに歩き回ることができるのではないか。コウモリのようにキーキー鳴き、指であちこちとんとん叩きながら。まさに、おかしな姿のキツツキだ。

「孫の手としても最高でしょうねえ」

チスイコウモリ科

DESMODONTIDAE

ひと目見ただけで、多くの人がチスイコウモリを嫌いになる。いつもひらひら飛び回り、みんなをびくびくさせ、美味しい飲み物をただでたっぷり飲み放題。だが、そんな彼にもチャンスを与えてやってほしい。このぱたぱた君はみんなに飲み物をおごる習慣があるのだ……ただし、トイレが近いのが玉に瑕だが。

血を吸う生活に完璧に適応したチスイコウモリ。哺乳動物や鳥類の血をすすりに飛び立つのは、完全な闇夜のときだけ。まず、眠っている動物の寝息やいびきを探知して、獲物の居場所を探る。脳の中でも、このような情報を処理する部分が飛び抜けて発達している。さらに、ナミチスイコウモリの場合、U字型の鼻のところに温度受容器があって、この部分を担当する脳の部分もやはり非常に発達している。そのため、生き物の体内を流れる温かい血液を確実に探知することができるのだ。

美味しい赤い飲み物を手に入れるために、チスイコウモリたちは、先の尖った大きな前歯を持っている。と申し上げてもみなさんは驚かないだろう。だがその使い道は、みなさんの予想とは少し違う。目をつけた獲物が毛深い場合、その歯を剃刀のように使って、食い付きたい場所の毛を剃るのだ。次に、咬み付いて傷をつけ、その傷口を舌でピチャピチャ舐める。彼らの唾液にはドラキュリンと呼ばれる物質が含まれており、血液が凝

「もしよかったら、一緒にコヴェントガーデンのナッグズヘッドに行って、ちょっと１杯やらないかい?」

チスイコウモリが夜の闇の中に飛び立っていく。これから、自分が飲むものを手に入れるところだ。

ナスイコウモリを見たければ、トランシルヴァニアに行くよりは、中南米に行くほうが確実だ。

「うーん、もうちょっとガーリックが効いてたほうがあたしの好みなんだけど、このおじさん」

固するのを防いでいる。そして、自分の体重の半分もの重量の血液を飲み干す。もちろん、ここで重要な鍵を握るのがトイレの場所だ。食物を液体で摂るとひどく身体が重くなる。特に、超軽量の空飛ぶ哺乳類の場合はトイレ探しが急務となる。チスイコウモリは、吸った血液の水分を即座に吸収し、ゴミ袋にまとめると、腎臓経由で裏口から捨てる。ナミチスイコウモリの消化システムが機能するスピードは非常に速く、食事を始めた2分後にはもう尿の排出が始まる。

夜のあいだに毛を剃られるのが好きな生き物はあまりいない。特に、その後血を吸われ、小便をかけられるのではたまったものではない。そのため、チスイコウモリが美味しい血にありつけない場合がままある。チスイコウモリが腹ぺこのまま家に帰ってくるのも珍しいことではないのだ。でも、大丈夫。幽霊の出そうな気味の悪い城に帰ってくると……え、何？……そんな所には住んでいないって？　それは、残念。木の切り株に開いた暗いうろの住処に帰ってくると、食事ができなかったコウモリは、ご近所さんのところに行って、食事を恵んでください、と頼むのだ。そう、ちょうど「お砂糖貸して」と頼むような調子で。そうしなければ食事を食べ損ねたコウモリは餓死してしまう。なんとうるわしい光景だろう。もちろん、吸血鬼同士が相手の口の中に血を吐き戻しているのを「うるわしい」などと表現できればの話だが。親切で、友人思いで、申し分ない隣人ではないか。ある学者先生たちは実験を行って、コウモリたちが、手に入れた食料を必ず分け合うかどうかを確かめることにした。そして、ひとつ落とし穴があることが判明する。自分が集めてきた血を分け与えないコウモリは、他のコウモリから分けてもらえなくなってしまうのだ。つまり、チスイコウモリたちは、おごり返してくれる相手にしかおごってやらないのである。

ボキャブラリー

温度受容

大型動物の多くは皮膚で温度を感じる。だが、小さな生き物のなかには、熱を「見る」能力を発達させたものがいる。マムシやボアなどのヘビは、温かくて美味しそうなものが近くにいないかどうかを知るための感覚器官を持っている。チスイコウモリも動物の体温で獲物を発見している可能性がある。これは驚くべきことだ。

プラスアルファ

互恵的な利他的行為。平たくいえば、ギブアンドテイク。相手がこちらの親切に報いてくれることを知ったうえで、誰かに親切にすることを意味する。チスイコウモリの例は典型的。掃除魚（64～65ページ）や、サルの発する警戒音も同様。

トビネズミ科

DIPODIDAE

ぴょんぴょん飛び跳ねる齧歯類。アジアからアフリカにかけて広く分布している。世界最小の齧歯類、驚異のコミミトビネズミもこの仲間だ。砂漠をぴょんぴょん跳ね回る彼らは、他の多くの動物と同様、いちばん気に入った移動手段としてぴょんぴょん跳ぶことを選んだ。

一見しただけではただ滑稽なだけに見えるジャンプだが、実は、A地点からB地点へ移動する方法としては非常に効率がよい。1歩目のジャンプで得られたエネルギーは、ゴムのように伸縮する大きな腱によって次の1歩へと伝えられる。ヒメミユビトビネズミの場合、1回のジャンプで1メートル跳び上がることができる。獲って食おうと狙ってくる他の砂漠の住人たちを避けるのにとても効果的だ。だが、あまり優美な動きとは呼べない。跳び回る動物が、恐ろしい待ち伏せ屋でもあるのは偶然ではない。

トビネズミは、苛酷な砂漠の暮らしに細かい点に至るまでよく適応している。特に、その行動は砂漠の生活にぴったりだ。昼間は、ぎらぎら照り付ける太陽を避け巣穴の奥深くにこもっている。1匹のトビネズミがいくつもの巣穴を持っている。昼のあいだ眠って過ごすための巣穴は、見つからないようによくカモフラージュされているうえ、嫌なものの侵入を防ぐために蓋が閉められるように

ボキャブラリー

砂漠

砂漠とは？　広くて砂のいっぱいある所？　残念でした。それは正しくありません。砂漠の定義は何通りもある。最も標準的な定義は、年間降水量が250ミリ未満の場所。生物学者は、自由水の存在しない場所を砂漠と考えることが多い。つまり、すべての水が誰にも飲めない所に閉じ込められている場所だ。この定義には、水が凍っている場合も含まれる。そうなると、世界最大の砂漠は、驚くなかれ、水（ただし固体の）でできていることになる——北極と南極だ。

◀ 小さな前肢、跳躍力のある巨大な後肢、大きな後ろ脚。トビネズミの身体は、砂漠を跳び回るのに理想的な形をしている。同じ理由から、彼らは待つのも恐ろしいほど得意だ。

なっている。他の2、3の巣穴は捕食者から逃げるために使われる。

ポケット・ロケット

動物、特に子どもがかわいらしいものへと進化してきたのは、ある種の自己防衛ではないかという考え方がある。うるうるした眼、太い足。かわいくて、食べちゃうよりは、頬ずりをしたくなるような姿。他の生き物を殺しまくるようなものの外見を嫌う私たちが、動物に、愛すべき姿になるように圧力をかけてきた可能性もある。かわいい動物が私たち自身の幼体と似ているのは偶然に過ぎないと主張する学者先生もいる。私たちが眼が大きくてお腹がぷくんと膨れた子どもを愛することは、遺伝子的にプログラムされている。だから、それらがこの世に生まれてから最初の10年間、げろをしたり、うんこをしたり、ぎゃあぎゃあ泣きわめいたり、その他ありとあらゆる不都合なことをしても、私たちは、それをかわいいと思うという説だ。いずれにせよ、我らが不思議議纂録協会が独自に開発した「かわいさ計測器」にかけると、コミミトビネズミの値は断然トップである。

だが、トビネズミのやたらに大きな耳や鼻や、その他全身のかわいらしいパーツは、乾燥した広い砂漠の生活にぴったりと適応するためのものだ。大きな後肢を覆っている毛は、かんじきのような働きをして、砂の中に身体が沈み込むのを防ぐ。多くの種は冬眠と似たような夏眠をする……ただし、こちらは厳しい夏の陽光を避けるため。一部のトビネズミは水をまったく飲まない。食べたものに含まれる水分だけで十分なのだ。まったく飲まないなんて私には想像できない恐るべき生活だが、このかわいらしい飛び跳ね君に1杯おごってやろうとしても、グラスを蹴飛ばしてこぼされるのが落ちである。

トビネズミはアフリカ及びアジアの砂漠で跳ね回っている。

プラス アルファ

齧歯類で最大なのはカピバラ。ラブラドールレトリーバーよりも大きい。ネズミやトビネズミとは従兄弟に当たるこの巨大な生き物は、南米大陸全域の湿地帯に生息している。驚くべきことに、ほとんど水の中で暮らしている彼らを、地元のカトリック教会は魚の1種に分類していた。つまり、地元の人々は、肉食を断つはずの四旬節の期間中でさえ、このでっかいネズミの丸焼きを食べることができるわけだ。

「だんなさん、今日のお勧め料理なんですがね、魚料理以外のもんにしやせんか?」

チロエオポッサム

DROMICIOPS GLIROIDES

非常に小さくてとてもかわいらしいチロエオポッサム。スペイン名のmonito del monteは「小さな山のサル」という意味だが、現地の人が呼ぶような「サル」でもない。この生き物の発見は、動物界最大の「行方不明人大捜索」事件と言えるかもしれない。実際、この小さな国外移住者は、1,100万年以上も前に絶滅したと考えられていたのだが、突如南米で姿を現したのだ。

「私は田舎が大好きさ。本当だよ!」

4,600万年前、インドとアジアが衝突し、ヒマラヤ山脈がぐいぐいと背を伸ばしていたころ、超巨大大陸ゴンドワナが分裂しようとしていた。そのころ、チロエオポッサムとオーストラリアの有袋類の系統が分離する。そして、大陸が完全に分かれてしまうと、オーストラリア出身の小さな有袋類は、南米の片隅に追いやられてしまった。

もちろん、南米にも有袋類――お腹に、自分の子どもや懐中時計をしまっておける、便利な小さい袋を持つ哺乳類――が存在している。オポッサムやケノレステスといった動物たちだ。だが、このかわいいチロエオポッサムは、それらよりもオーストラリアの有袋類にずっと近い生き物のように見えた。そこへごく最近、オーストラリアのクィーンズランドで驚くべき発見があった。非常に小さな足首と耳の骨が見つかったのだ。大きさは小さいかもしれないが、その重要性は計り知れないほど大きい。その骨は、ジャルシアと呼ばれる小型の不思議な生き物のものだったがこの動物、どこからどう見ても、チロエオポッサムそのものだったのだ。ジャルシアは、オーストラリア最古の有袋類とされている。お腹に袋を持つオーストラリアの奇妙な動物たちすべての祖先である。つまり、この小さな山のサルはオーストラリアの有袋類の母だったのである。

絶滅したと思われていた生物が、これまで誰も探険したことのなかった土地で元気にやっていたという例はいくつもある。聖書に登場する死からよみがえった男の名を取ってラザロ分類群と呼

この生き物が実はカンガルーのお祖父ちゃんだったらしい。驚くべきことだ。

この極小のオーストラリアっ子は、チリ南部の山岳地帯に住んでいる。訪ねていったら、ぜひ、「グッダイ」と挨拶しよう。

ばれている、そのような動物が存在するのはやむを得ないことだ。なにしろ、私たちがこの地球について知っていることはほんのわずかなのだから。新しい土地を見つけ、新しい事物を記録するうちに、なぜここにこんなものがいるのだろうという不思議な生き物が見つかることがある。そして再発見された生物が、実はよく知られた種にそっくりな新種だったということも往々にしてある。このような見かけ上類似した動物たちは、エルヴィス分類群と呼ばれている。さらに、絶滅したと思われていた化石生物が、何百万年も経ってからまったく見当違いの場所にたどり着いて生きているのが発見されるということもある。まるで、死者が別の場所に歩いていったように見えることから、ゾンビ分類群と呼ばれている……いや、本当ですってば。

チロエオポッサムは、アンデス山脈のチリ側、ごく限られた地域だけに住んでいる。その地域に生える竹のやぶに巣をつくり、その巣を苔で覆ってほかほかと温かい家に仕立てている。食物は昆虫と果実――その地域に生えるヤドリギは、このチロエオポッサムがいなければ種子を遠くまで運んでもらうことができない。もしこの小さな紳士に何事か起こったら、ヤドリギも絶滅してしまうだろう……そのようなことが2度と起こってはならないと思う。

ボキャブラリー

ラザロ分類群

ラザロ分類群の例は数多くある。そのなかのいくつかはこのすばらしい本でも取り上げている。チロエオポッサムと併せて、シーラカンスやキューバソレノドンについても、お暇があればぜひお目を通していただきたい。

エルヴィス分類群

エルヴィス分類群と言われる動物の一例がサーベルタイガーだ。これまでに多くの動物たちが、口から飛び出すほど巨大なサーベルのような歯を進化させてきた。ティラコスミルスやスミロドンはそのなかのほんの一部だ。彼らは、それぞれ独自に進化してきた。その形質は表面的には似通っているが、「件の如きしうれんしんくゎ」の例に過ぎない。

セミクジラ属

EUBALAENA SPP.

セミクジラの物語は誰もが知っている。捕鯨船員たちが、理想的な right クジラだと考えたから、right whale……何が理想的か。捕まえるのに理想的なクジラだったのだ。さて、これから、この理想的なクジラ、セミクジラについてお話ししよう……。

まず初めに申し上げておきたいのは、彼がなかなか変わった風貌をしているということ。巨大な口は、眼の位置よりもずっと上のほうから始まっている——この口を大きく開け、ぎっしり並んだクジラひげで、海水から美味しいエビやら何やらを漉し取る。頭部にあるケロシティと呼ばれるぶ厚いこぶは、大きなクジラジラミがびっしりと集合して白っぽく見えることもある。だが、このクジラをこの動物コレクションに登場させるべくてんやわんやの大騒ぎをしたのは、彼の体内にあるもののせいなのだ。

クジラについて考えるとき、身体の各部分が大きいだろうと認識するのに、たいした想像力は必要ない。だがそのなかでも特別に大きな部分がひとつある。彼らは、巨大な性腺を持っている……タマ、家の宝……お好きなように呼んでもらえばよい。何と呼ぼうがとにかく巨大なのだ。片方だけで重さは500キログラム。両方合わせれば、家庭用の自家用車と同じくらいの重量だ。

彼らにとって、これはなくてはならないものだ。雌のセミクジラは相当に多情だからだ。繁殖期ともなると、雌のセミクジラは同時に複数の雄をパートナーとして引き連れて歩く。彼女たちの敏感さは尋常ではない。人間の指でちょっと押してやるだけでも、性的に反応すると言われている。セミクジラたちは水中で性の饗宴を繰り広げる。雄たちは、雌のまわりを取り囲み、何時間ものあいだ彼女の身体に頭をこすりつけたり、優しくさすったりしたうえで、彼女との仕上げの行為に及ぶ。そして、やるべきことを

件の如き博物学者たちは、クジラの絵を描くのに四苦八苦した。クジラの身体をしみじみと観察できるのは陸に揚げられたときだけ。だがそうなると、重力の影響で身体の形が歪んでしまうからだ。

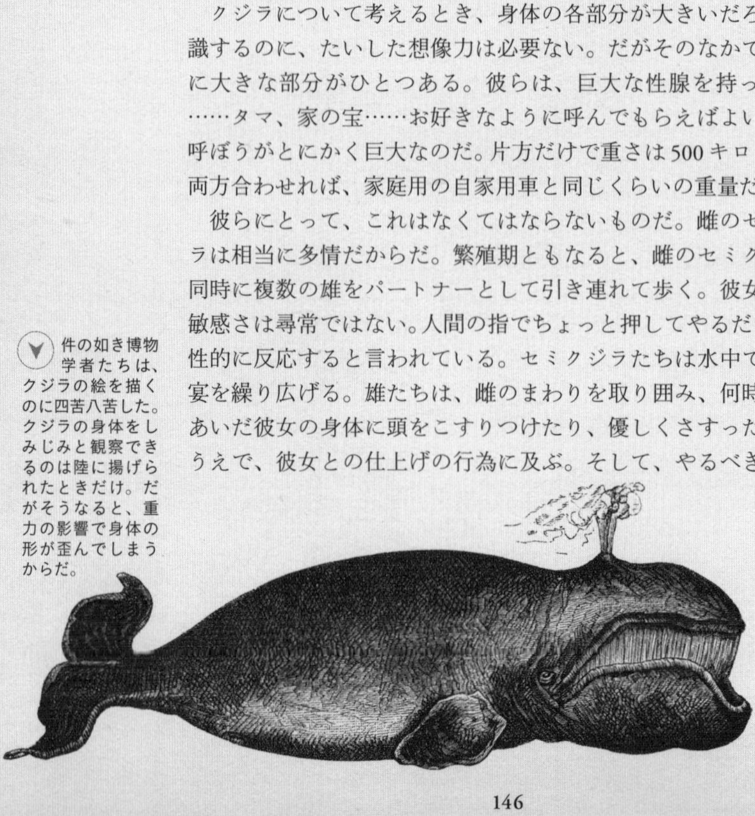

「実物より太って見えると思います」

最初に捕鯨対象になったのがセミクジラだった。手こぎの船でもやすやすと近づける海域にいたからである。巨大な捕鯨船の登場によって、他の種のクジラにも厄災が及ぶようになる。

「あんたらが大挙してやってくるまでは、おれたち、何もしくじらずにやれてたのにさ」

やって十分満足したところで、雄たちはまた別の結婚相手を探しに泳ぎ去っていく。

このような好色さも理由のひとつなのだが、雌は小さな田舎町に住んできちんと教会に通うといった理想的な生活はしていない。ここでも巧妙な進化の法則が、性淘汰という形で作用している。最初にチャールズ・ダーウィンによって提唱されたこのすばらしい理論は、雄が、発情した雄ジカのように闘ったり、気取ったクジャクのように自分を誇示したりする理由を説明するものだ。だが、闘争（136～137ページ、ズキンアザラシ）や、装飾品（112～113ページ、コクホウジャク）は性淘汰のほんの一部の側面に過ぎない。

それ以外にも、もっと目立たないところでいろいろなことが起こっていることを忘れてはならない。そのひとつが精子競争だ。より多くの子孫を残すための終わりのない闘いが、この巨人たちの精子にまで及んでいる。セミクジラは、たくさんの精子を作り出すために巨大な精巣を進化させた。ここから雌の体内に精子が送り込まれる。露骨な言い方をしてしまえば、雄のセミクジラは、何枚も何枚も大量の宝くじを買っているようなものだ。

セミクジラは、捕鯨が始まった当初数が激減した。捕まえるのに理想的な性質をいくつか持っていたのだ。動きが遅く、海岸線に近いところを泳ぐこのクジラは、現在も船のスクリューにぶつかったり、船と衝突したりしてばかりいる。このクジラの仲間のうち何種かは、数百頭にまで数を減らしてしまった。残念なニュースだ。

セミクジラ属のクジラは3種。ミナミセミクジラ、タイセイヨウセミクジラ、及び日本近海に住む運の悪い仲間たちだ。

ボキャブラリー

精子競争

子孫をより多く残すための競争のひとつで、いくつかのパターンがある。ヨーロッパカヤクグリという鳥の雄は、雌に乗る前にくちばしでつついて前に交尾した雄の精子を外に出す。トンボは、瓶を洗うブラシのような形で前の雄の子種を掻き出せるペニスを進化させた。ヒトでも精子競争は起こっている。細君が牛乳配達の男と浮気をしているのではないかと疑うと、サッカーのディフェンダーのような働きをする「ブロッカー」精子の数が多くなるのだ。

ハダカデバネズミ

HETEROCEPHALUS GLABER

これがハダカデバネズミです。毛を剃られたネズミといったところでしょうか。でも、ぽつぽつとひげが少し残っているので、毛がうまく剃れなかったネズミですか。英語では naked mole rat、裸のモグラネズミ。だが、この生き物はネズミではない。モグラでもない。ついでに言っておくと、毛を剃られたわけでもない。確かにタオルでくるんでやりたくなる姿ではあるが。

このなかなか絵になる齧歯(げっし)類は、東アフリカの苛酷で容赦のない砂漠地帯の地下に住んでいる。ハダカデバネズミは、ラディシボア、根食動物である。もちろん、ラディッシュも食べるが、赤い根ばかりでなくどんな球根でも食べる。彼らはきわめてつましい食生活を送っている。一度に端っこのほうをほんの少しかじるだけ。そうやって植物が枯れないようにしているのだ。だが、時にはコプロファジックになることもある。え、どういう意味かって？　知らないほうがよいと思いますよ。しょうがないな。ヒントだけあげます……コプロは糞という意味……そして、ファージは食べるという意味です。砂漠の地下の穴の中に閉じ込められ、自分の糞を食べる生活。まさに苦しい「下積み」の時代だ。

ハダカデバネズミ。今食べているのが彼の糞でないことを祈ろう——そんな姿を見るのは気持ちが悪いから。

「気持ち悪いなんて、ひどいじゃないですか。こんなところで美味しいタルタルステーキなんか手に入ると思いますか?」

哺乳類で真社会性を持つことが分かっているのは、ハダカデバネズミ以外ではこのダマラランドデバネズミしかいない。裸の従兄弟と比べると、身体が大きく歯も長く、ずっと毛がふさふさしている。

この器用な齧歯類は、自分の選んだ非常に苛酷な環境に適応するために数々の点で自らを進化させてきた。代謝のスピードが非常に遅く、通常の生活で消費するエネルギー量は普通のハツカネズミの60%程度しかない。消費する酸素量もほんのわずかだ。また、哺乳類のなかでは唯一、痛みを感じないらしい。ずいぶんと都合のよい進化だが、これはトンネル内で酸素が不足しがちになるからだと考えられている。動物の体内に二酸化炭素が蓄積してくると身体に激痛が走るのだ。

ハダカデバネズミは事実上変温動物であると言ってもよい。ほとんどの哺乳類のように体温を維持することができるのは、ごく短時間。そのため、寒いときはみんなで集まって身体を寄せ合い暖まる。また、暑いときにはトンネルの奥深くまで降りていって身体を冷やす。大きな歯はトンネルを掘るのに使われる。そのトンネルの中を彼らは猛烈なスピードで走り回ることができる。驚くべきことに、後ろ向きでも前向きでも同じスピードで走れる。

さて、読者の皆様は、そろそろ、このもみ革製モルモット君がとても奇妙な連中だということをご理解なさり始めたころだろうと思う。だがまだひとつ、このへんてこな生き物のいちばんへんてこな部分が明らかにされていない。信じられないかもしれないが、ハダカデバネズミはアリと同じ習性を持っているのである。彼らは真社会性を持っているのである。ハダカデバネズミのコロニーには、ぼってりと太った大きな女王ネズミがいる。子どもを産むのはすべてこの女王の仕事だ。また、がっちりと大柄な若い雄がいて女王様の御用を務める。その他に兵士と子守。そして、多ければ300匹にもなる働きネズミたちが、トンネル掘りなどの細々した仕事を担当している。表面的には非常にうるわしいお話だ。家族全員が協力してよりよい生活のために努力する。だが、ふたつのコロニーが領土を拡張してぶつかったときに観察されたエピソードを聞けば、うるわしいとは思えなくなるかもしれない。なわばり同士がぶつかったコロニーのハダカデバネズミたちは、激しく闘い相手を完膚なきまでにたたきつぶす。そして勝者は、相手のコロニーのメンバーを殺してしまう。家族で楽しくお出かけするのとはわけが違うのである。

よくある勘違いなのだが、ハダカデバネズミはあなたのアンダーパンツの中を覗いても見つからない。アフリカの角と呼ばれる地域で彼らを探したほうがよい。

ボキャブラリー

真社会性

動物の世界に存在する社会秩序のなかでは最も高レベル。アリ、ミツバチ、シロアリ、そしてもちろん、ハダカデバネズミがそのような社会を持つ動物の例である。人間はそれよりも下――前社会性――のレベルにあると、一般には考えられている。

ヨウスコウカワイルカ

LIPOTES VEXILLIFER

ヨウスコウカワイルカは取り返しのつかないミスを犯した。だからこそ、私ども不思議纂録協会では彼女を大切に扱いたい。彼女は何万年ものあいだ居心地のよい川で暮らしてきた。だが、このわずか2、30年で彼女のすべての努力を水の泡にしてしまった者がいる。ヨウスコウカワイルカの住処は広範囲にわたって大規模な痛手を被った。そのため、不幸にも彼女は世界で最も数の少ない動物になってしまった。もっとも彼女がまだ生き残っていればの話だ。

「何々？　そんなこと言うのは誰？」

◀ヨウスコウカワイルカの眼は非常に小さく、ほとんど消滅しかけている。長江の濁った水の中で長年暮らしてきたためだ。

カワイルカは、世界で4種がそれぞれ世界各地で独自に進化してきた。ヨウスコウカワイルカもそのひとつ。学名の *Lipotes vexillifer* は「後に残された旗手」という意味である……すみません、これについてはよく分かりません。だが、長江に住むこの愛すべきイルカにつけられたあだ名のなかで最も意味不明なのは「長江女神」だろう。ヨウスコウカワイルカに人をうっとりさせるパワーがないと言っているのではない。私が言いたいのは、この神々しい呼び名がいささか実態にそぐわないということだ。長江流域の人々は、自分たちの女神から聴力を奪い、毒を与え、その他ありとあらゆる虐待を加えるのはごく普通のことだと思っているのだろうか。もしかすると、この川がこんなひどい状態になってしまったのは、怒れる神をないがしろにした報いなのではないか。

▼残念ながら、長江に行ってもヨウスコウカワイルカを発見するのは相当厳しいだろう。

プラス
アルファ

中国経済の急激な成長によって、中国に住む野生動物たちの生息域が深刻な影響を受けているのは確かだ。この惑星上最も美しい場所のひとつで、何百万年ものあいだまったく純粋な至福のときを過ごしてきたヨウスコウカワイルカは、突然さまざまな環境問題に直面させられた。もちろん、長江はこの凋落のシンボルである。汚染と乱獲がすでに脆弱になっていたイルカの数の減少に追い打ちをかけた。

現在、巨大な商業の中枢部となった長江には北京の金物工場並みの静けさしかない。この愛すべきイルカは昔から環境と相容れない生活をしていたわけではなかった。視力を捨ててしまったのは泥で濁った川で進化したためだ。沈殿物の多い長江の水中で目を細めて行く手に何があるのか見る努力は放棄して、代わりに聴覚を高度に発達させた。もちろん、彼女が楽しく過ごしていたのはそれほど昔のことではない。非常に鋭敏な聴力を活用して、彼女は大河を悠々と泳ぎ回ることができた。だが、エンジンの発明によって状況は一変する。現在、このイルカの住処を丸鋸のようなスクリューがうなりを上げて走り回っている。かわいそうなイルカには、自分のほうに向かってくるものがまったく見えないのだ。

さらに、汚染物質やその他さまざまなものが川に流れ込み、このカワイルカにとどめを刺してしまった。数年前にこのイルカとおぼしきものが目撃されたという報告はあるものの、ヨウスコウカワイルカは数を減らし、現在すでに機能的には絶滅したと宣言されている。

長江。川の長さは世界第3位。目のよく見えないイルカにとっては、住みにくい場所第1位。

アマゾンカワイルカもまた不思議な生き物だ。現地の先住民は、このイルカには姿を変える能力があり、夜になるとハンサムな若者に変身して部族の女を誘惑すると考えている。このイルカは実生活でもかなり奔放で、雄同士でセックスをすることが知られている。そのとき彼らはお互いの噴気孔を使うという……世界でただ一例のネーザル・セックスだ。さらに、海洋性のイルカだが彼らと同じくアマゾン川にも住んでいるコビトイルカを相手にセックスを試みることもある。

ボキャブラリー

二名法

学名の命名法のこと。これを考え出したのは、スウェーデンの植物学者カール・フォン・リンネ（1707 – 1778）。どの動物や植物や鉱物が、どの動物や植物や鉱物と同じグループになるかを示すのにたいへん便利だ。少しだけ、不思議纂録協会お気に入りの学名を挙げる。まず、*Notnops* と *Tisntnops* と *Taintnops*。以前はノプス科に属していると考えられていた3種のクモだ。それぞれ、「ノプスじゃない」という意味の Not Nops、It isn't Nops、It ain't Nops を学名にしてしまった。次は *Hebejeebie*。へーベ属の植物だが、分類するのがものすごく難しかったので、いらいら、フラストレーションという意味の heebiejeebies をもじって学名をつけた。

センザンコウ属

MANIS SPP.

こちら、驚異の生き物センザンコウ君。なかなかの発明家である。我々は、自分たちがいかに賢い動物か、ついつい自画自賛に走ってしまいがちだ。だって、私たちはありとあらゆるスグレモノを作り出してきたのだ。紙、エアコン、トースター、それに、ベルクロに飛行機、そしてスープまで。だがセンザンコウは、そんな私たちよりもはるかにすばらしいものを発明しているのだ。

才気あふれる大自然が、私たちが発明したと思っているもののほとんどを私たちよりも先に作り出していたことを知っても驚いてはいけない。アシナガバチの仲間は紙をつくる。シロアリのつくるアリ塚にはエアコンが効いている。電気をつくるウナギもいるし、ホタルは光を発する。音を使ってものを見る動物に至っては何百種も存在するのだ。私たちがたかだかこの数十万年のあいだに解決しようと取り組んできた問題について、大自然はすでに何千万年もの時間をかけている。だから、自然界が私たちよりも先に同じ解決法に到達していても驚くには当たらないのだ。

さて、人類最大の発明は車輪であるというのはよく言われることだ。だが読者諸氏のように賢い方々は、人類よりもはるか以前に大自然が車輪を発明していたと聞いても驚かれないだろう。センザンコウの英名は pangolin だが、その元になったのはマレー語のペングリン。丸くなるものという意味だ。ご存じのようにセンザンコウは身体を球状に丸めて身を守る。またそのまま坂を転がって下ったり、時には脚を 1 本だけ突き出してゆっくりと舵を取りながら、ライオンを回避したりすることもある……これはぜひ見てみたい。

センザンコウはアリを食う動物のひとつだ。アフリカからアジアにかけて 8 種が発見されている。アリを食べる動物にはさまざまなタイプのものがいるが、それぞれまったく無関係な動物だと

センザンコウは、しばしば、歩く松ぼっくりのようだと言われる。だが、松ぼっくりのようによい匂いがするわけではない。お尻の辺りにある臭腺から、スカンクのようなひどい匂いの物質を分泌する。

「何もそこまで言わなくたって」

プラス
アルフア

誰かの晩飯にならないようにするにはどうすればよいか、お手本を示してくれるセンザンコウ——剃刀のように鋭い鎧で覆われたボールに変身。

人がおむつ（中身のことは気にしないで）を発明するよりもはるか昔から、車輪になることを発明していた生き物はたくさんいる。シエラネヴァダ山脈に住むミズカキサンショウウオは、身体を丸め、自動車からはずれたタイヤのように斜面を転がり落ちていく。ナミブ砂漠のアシダカグモの仲間は、回転する悪夢のボールといった体で砂丘を猛スピードで下る。ウコンノメイガの幼虫は、自力でスピードを上げることができる。秒速40センチ。ふだんのそのそ歩いている速度のなんと40倍の速さだ。

知ったら、みなさんは驚かれるかもしれない。進化について考えるとき、生き物がさまざまな種に分化しどんどん違った生物になって多様性が増していくのをイメージしがちだ。だが、世界各地に散らばったこれらの種の動物たちが、似たような生活スタイルを選んでだんだん似たものになっていくというのも驚くべきことではない。しかも、収斂（しゅうれん）進化は、形態のみならず行動も含めたさまざまな方面で進行する。そこでまたも登場するのが、大自然の発明による車輪になって逃げるというメカニズムだ。ころころ転がるサンショウウオ、ぐるぐる回転するイモ虫、ごろごろ回りながら進むクモなどがいる。

とりあえず、愛嬌たっぷりの車輪君センザンコウに話を戻そう。このアリ食いの身体はケラチンでできた硬いうろこですっかり覆われている。ケラチンというのは、鳥の羽根やサイの角、私たちの爪や髪の毛の材料になる物質である。この爪製鎖帷子（くさりかたびら）は、1枚1枚が剃刀のように鋭い、とてもよくできたしろものだ。他のアリ食いたち同様、彼らも長くてべたべたの舌を穴に突っ込んで昆虫を引きずり出す。歯はまったくないので咬むことはできない。そのため、鳥の砂嚢のようなものがあり、食べたアリと小石や砂を中で混ぜ合わせる。また、なかなか頭もよい。センザンコウをケージに閉じ込めておくのはとても難しいと言われている。さまざまな作戦や陰謀を考え出して、最後には必ず檻の外に巧みに逃れてしまうのだ。そんな彼らの手際に私ども不思議議纂録協会のスタッフは大いに心が癒される。ということで、まとめてみよう。センザンコウ：世界で最も偉大な発明家のひとつ。驚異の生き物と呼んだのはそういうわけなのです。

発明の才に恵まれたこの生き物は、アフリカ、アジアの各地で見られる。

ラーテル

MELLIVORA CAPENSIS

この小さな遊び人は、英名の honey badger、蜂蜜アナグマが表す通り、このラブリーな生き物は、ほんとうに蜂蜜が大好物である。くまのプーさんのようだ！　だが、もちろん違いがある。ティガーの親友はあなたの大切な部分を食い切ろうとしたりしないでしょ？

小柄でがっちりした体型のラーテルは、ヨーロッパのアナグマと体つきも似ている。現在、アフリカ、アラビア、アジアに分布しているが、はるか昔はずっと北方のイタリアでも見られた。もし、自由に歩き回っているラーテルを見かけたら、逃げること……それも全速力で。なにしろ、彼女は世界で最も恐れられている動物なのだ。

ラーテルのお気に入りのオードヴルは、コブラや、その他の毒ヘビ。もし、致死性のおかずに咬まれたらどうなるか。そう、サイをも倒す力がある猛毒のにょろにょろした奴らに咬まれたら。ラーテルはその場に倒れる。だが、眠り込むだけで2、3時間後には目を覚ます。もちろん、そのときには元気いっぱい、中断したおやつの時間をすぐに再開する。いったいどんな驚異の代謝メカニズムが働いているのだろうか。残念ながら、それを確認でき

どうです、かわいいでしょう？　でも、このラブリーな生き物を抱っこしたいなどとはくれぐれも思わないように。

プラス
アルファ

雌が雄のラーテルをパートナーとして受け入れるまでおよそ3日かかる。それまで、雌はどこまでも敵意むき出しで、徹底的に雄を寄せ付けまいとする。雄はじっと耐えて待つ。

先だってアラビア湾で行われた戦争中、シカのように速く、犬くらいの大きさで、サルのような頭をした恐ろしい野獣をイギリス軍が放っているといううわさが地元の人々のあいだに広まった。正体はその土地に生息するラーテルたちだったのだが、それを聞いてもみなさんはさして驚かれないだろう。

るほどこの異常にパワフルな毛皮の塊君に十分接近できた人間はまだいない……だが、彼らがすごい生き物であるのは間違いない。

窮獾（きゅうたん）は獅子を咬むが

まぬけなライオンがラーテルを牙にかけようとすると、皮膚と筋肉がぴったりくっついていないラーテルは、咬み付かれたまま身体をひねり、ライオンの顔を狙って咬み付いたり引っ掻いたりし始める。だから、ラーテルを襲ったことのあるライオンがもう一度襲うことはめったにない。

人間との相性も大方よろしいとは言えない。アフリカのサン族では、もし村にラーテルが入ってくるようになったら……そろそろ移動の潮時だと言い伝えられている。もう少し恐い思いをしたい方には、この小さな厄介者たちは非常に知能が高いということも申し上げておこう。獲物を捕るために道具を使っているのが観察されている。食いたいものが何であれ、それを手に入れるためにいろいろなものをあちこちへ移動させるのだ。彼らが食いたいものとは何か。ほぼ何でも、である。

ラーテルは1度に1頭ずつしか子どもを産まない。母親と巣穴の中で過ごしたり乾燥した平原を一緒について回ったりしながら、動き回るものすべてから嫌われる完璧な憎まれ者になるべく修行を積む。やがて、十分成長してその日を迎えた彼は、一人前の完璧な憎まれ者として独り立ちする。残念なことに、この出生率の低さと、戦争、罠や毒殺といった浅ましい行為の横行により、ラーテルの数は紛れもなく危機的状況に陥っている。ラーテルたちも困ったことだと頭を悩ませている。繰り返そう……ラーテルを困らせるようなことは絶対にしてはいけない。

ラーテルはアフリカ、アジア、その他彼らが気に入ったと思った場所にはどこにでも住んでいる。

イッカク

MONODON MONOCEROS

神代の昔から、一角獣という魔術的な獣についてはいろいろなことが語り継がれてきた。1本角を生やし、雄ヤギのような顎ひげとライオンの尾を持つひづめの割れた馬である。その角にたいへん珍重された。黄金よりも高価な値が付いた。それもそのはず、所有者に魔法の力を授けると言われていたのだ。

北極圏内の海には、10頭から100頭のポッドと呼ばれる群れをつくった海の一角獣たちがいる。英名のnarwhalは古ノルド語の「死体」を意味するnarから来ている。斑点のある皮膚が溺死した船乗りを連想させるからだという。興味深い話ではあるが、この生き物を我がコレクションに含めることになったのは、当然ながらその堂々たる突起物の故である。2メートルから3メートルという驚きの長さ。雄のイッカクが持つこの突起は実は歯だ。ゾウの牙と同じである。歯が、口を飛び出し螺旋状に伸びている。多くは顎の左側からだ。実際、イッカクは奇妙な歯並びをしている。地球上の動物のなかで最も奇妙な歯並びの持ち主だ。

この非常に目立つ付属器の本当に興味深いところは、何のために使うのかはっきりとしたことが分かっていないという点だ。いちばん広く受け入れられている説は、チャールズ・ダーウィンが提唱した、性淘汰によって進化した形質だというもの。ライオンのたてがみやクジャクの尾羽と同じである。つまり、この牙には実用的な利点はない——むしろ、持ち主を不利な立場に陥れる可能性さえある——が、同種の雌には、健康であることを象徴するものと映り、立派な牙であればあるほど雌がその持ち主との交尾を受け入れる可能性が高まる。

「でもさ、地図持ってたのはお前だろ……」

この牙で海面が凍りそうかどうかチェックしているという話もある。氷に閉じ込められないようにするためだ。

いかなる理由があろうとも北極海を離れない。魔法のように魅力のある場所だと思っているからだ。

イッカクの体色は隠蔽色になっている。背側は色が濃く、北極海と同じ黒に近いダークブルー。腹側は色が淡く、下からは見分けにくい。

他にもいくつか仮説はある。そのうちのひとつは、雄同士がその牙を突き合って闘うという説。だが、これは事実でない可能性が高い。イッカクが牙を突き合わせる行動は確かに観察されているが、表面を擦り合わせるだけだ。これによってどちらが上位かを確認しているのだと考えられている。他に、探知器として用い、甲殻類などの食べ物を探しているという説。アイスピック代わりにして北極海の氷を割っているという説まである。

骨に性感帯

最近、ある興味深い研究によって、この謎に満ちた牙に一見しただけでは分からない深い意味があるということが明らかになった。非常に倍率の高い電子顕微鏡を使った学者先生たちが、牙の中に信じられないほどたくさん——正確には1,000万本——の神経終末が存在していることを発見したのだ。具体的に分かりやすい比較対象を挙げてみよう。ヒトの身体で最も感覚が鋭い場所は女性のクリトリスだが、ここには8,000本の神経終末がある。男性のペニスにはその半分。つまり、イッカクの牙は、驚異的な感度を持つ感覚器なのだ。そんなに敏感な器官で彼らはいったいどんな情報を手に入れているのだろう。今は想像するばかりだが、さらなる研究によって明らかになることを望みたい。

プラスアルファ

神話や伝説に登場する動物をたかが……ゴホン……神話や伝説だと片づけるのはとても簡単だ。多くの物語の糸が飛躍的な想像力によって紡がれているのは確かだが、基づく事実のある神話も少なくない。東洋の竜伝説は、巨大なコモドオオトカゲが元になっているとも考えられる。あるいは、中国の砂漠に恐竜の骨がたくさん散らばっている事実と関係があるかもしれない。このような恐竜の骨は、昔から竜骨と呼ばれる粉にして薬として飲まれていた。ひとつ眼巨人キュークロープスの物語を生んだのも骨。地中海で発見されたドワーフエレファントの頭骨である。このゾウの頭骨の額には大きな穴がひとつ開いていた。昔の船乗りたちがよく物語った大海蛇（86〜87ページ、リュウグウノツカイ）。クラーケン——船を海中に引きずり込む巨大なイカの怪物——は、最近発見された、マッコウクジラよりも巨大なダイオウホウズキイカを連想させる。深い海の底には、神話から現実へ生まれ変わるために虎視眈々とチャンスを窺っている生き物がまだいるかもしれない。

「作り話だって？　伝説的存在と呼んで欲しいね」

テングザル

NASALIS LARVATUS

丸く膨れた腹と目の見えない大工の親指みたいな鼻。こちらが、愛すべきテングザル君だ。現地の人々はこのすばらしいサルを「オラン・ベランダ（オランダのサル）」と呼んでいる。チューリップと木靴を愛するサルだからではない。不自然に大きな鼻と突き出た太鼓腹と全身オレンジ色がかった体色が、ボルネオの人々にオランダ人を連想させたのである。

この巨大な鼻は何のために必要なのか？　テングザルのご婦人方にカッコよいと思ってもらうためらしい。大きければ大きいほど結構。雄の鼻の長さは平均すると18センチ。雌の鼻は、雄に比べるとはるかに小さいが、それでもかなり大きめだ。もしあなたが雄のテングザルだとしたら、その鼻はあなたの足とほぼ同じサイズ。鼻があまりにも大きくてじゃまなので、雄は、鼻をどかさなければものが食べられないとも言われている。それどころか、何か騒ぎが起こると、彼らの鼻は赤くなってさらに膨れあがる。その役割は、共鳴箱として叫び声を大きく響かせることと、火に油を注いで騒ぎを大きくすること。

「いやあ、全然困りませんよ。ただね、週1回床屋を呼んで鼻毛をきれいに整えてもらってます」

テングザルは、沼地の多いボルネオの熱帯雨林に住んでいる。木をつたって森を移動したり、水の中を歩いて渡ったりするのが得意だ。それどころか泳ぎも非常に堪能である。岸から何キロも離れたところで漁師たちに目撃されることもあるという。水をばしゃばしゃするのが本当に好きらしい。水の中を歩くのと並んで、2本の後肢で立って歩くのもお手のものだ。人間以外でこの芸当をやってのける数少ない哺乳類のひとつである。

実は、私たちヒトはアフリカのサバンナで進化してきたのではないという説がある。私たちは水棲のサルだったというのだ。このおもしろい

テングザルは信じられないほど時間にルーズだ。しょっちゅう遅刻してくる。だが、鼻だけはたいてい時間通り先に着いている。

「今日の髪型は、
なかなかいかしているよ」

ダヤクの人々はボルネオ島に住む勇猛な首狩り族。おしゃれにもかなりうるさかったようだ。

説で、ヒトが他の類人猿とこれほど外見が異なるのはなぜなのかがある程度までは説明できる。ヒト以外の類人猿は、毛深く、4つ脚で歩き回るほうが好きだ。一方の私たちは2本脚。これは水の中を歩くのに非常に都合がよい。ほかの理由を挙げよう。まず、水棲哺乳類たちの多くは毛を失ってしまっているということ。ジュゴンもカバも、クジラもだ。また、これら水棲哺乳類同様、私たちも寒さから身を守ってくれる皮下脂肪を持っている。他の類人猿が余分な脂肪を蓄えるのは内臓である。さらに、私たちの身体は流線型だ。ゴリラがバタフライに挑戦しているところを想像してみて欲しい——たぶん水泳パンツを穿くのもままならないはず。最後に、私たちが呼吸を思うままにコントロールできること。これは、言葉を話せるようになるための前提条件だった。私たち以外の類人猿には呼吸のコントロールができないが、水に潜る哺乳動物たちには可能だ。

確かに、すばらしいアイデアだ。挙げられた証拠もなかなか興味深い。一方、このアイデアがただの受け狙いの戯言であることを示す証拠も山ほどある。だが私は、そんな懐疑的な見方をする方々に言いたい。別にこの説を信じる必要はないんです。ただ試しに、足の親指を水にひたしてご覧なさい。ほら、水っていい感じでしょう——テングザルと同じくらい、いい感じですよ。

あなたが来るのを嗅ぎ付けて隠れなければボルネオ島で見ることができる。

プラスアルファ

水棲類人猿仮説が非常におもしろいのは確かだが、学界では反対意見が圧倒的に多い。体毛がないことを説明するには、泳ぐスピードを増す効果よりも、寄生虫を排除するための進化と考えるほうがスマートだ。呼吸のコントロールができるようになった時期は、私たちが言葉を話せるようになったのとほぼ同時期。腹回りのぶよぶよしたものも、クジラやアザラシの滑らかな体形をつくっているものと同列とは考えにくい。むしろ、家畜化され人の家の周囲で安穏な生活を送る、食べ過ぎ運動不足の動物たちの腹回りに同じものが付いている。なぜ、と問うまでもないだろう。

フサオウッドラット

NEOTOMA CINEREA

このかわいらしい生き物はフサオウッドラット……またの名、なんでもため込むパックラット、ウッドラット、プレーリーじたばた。あ、友だちからはスティーヴって呼ばれてます。このふわふわな小動物のかわいさにだまされてはいけない。所詮……ネズミなのだ！

フサオウッドラットはなかなかの悪党である。毎日、さまざまなものを盗み歩き、そのおかげで大邸宅を建てている。だが、この気の毒な御仁をあまり責めないでやってほしい。なにしろ、世間では、彼らのことを毛の生えたソーセージのようにしか見ていない。猛禽類、ヘビ、トカゲ、ネコ、その他ありとあらゆる牙を持つやくざ者たちが、彼らを美味しいオードヴルだと考えている。だから、ふわふわ毛皮の小動物たちは、捕食者たちよりも一歩先んじ、食われるのを防ぐさまざまな方法を進化させてきた。ほとんどの場合、彼らは身のこなしがすばやい。だがフサオウッドラットは違う。彼は「ミドゥン」と呼ばれる大きな家を建てるのだ。

フサオウッドラット盗賊団はアメリカ大陸北西部を股にかけて活動している。

フサオウッドラットはたいへんないたずら者で、目についたものはなんでもくすねる。もちろん、何千年も昔ならそれは松ぼっくりや小枝だった。ところが現在、彼らのミドゥンのそばでキャンプでもしようものなら、彼のお持ち帰り品の中にいともたやすくあなたの腕時計が含まれることになる。実際、彼らは何でもぴかぴか光るものに引き寄せられる。ただ、光るものをコレクションするのが好きというくらいで本書に取り上げられたのではない。この生き物がミドゥンをまとめるのに自分のおしっこを使っていると聞いたからである。彼の尿は、丈夫なニスのように巣を固め、岩のようにしてしまう。岩のようにと言ったのは言葉の綾ではない。4万年も前のしっこ邸宅が発見されているのである。そのミドゥンのなかには、大昔に彼らがくすねてきたさまざまなものがいっぱい入っていて、何世紀も昔のその地域がどんな様子だったか、さまざまな手掛かりが簡単に手に入るのだ。この途方もないネズミについては、もっと書きたいことがたくさんあったのだが、どこかのいたずらっ子にペンをくすねられてしまった。

フサオウッドラット。かわいいちびさんだが盗癖あり。

スローロリス属

NYCTICEBUS SPP.

スローロリス。かわいくって抱きしめたい。見かけはそうだが、実は奸悪な危険動物だ。いえ、本当ですってば……彼女はすでに人を殺している。これからも殺し続けるだろう……なんてこった、どうして誰も信じてくれないんだ？

この魅力的な悪党は、夜、木のてっぺんをゆっくりゆっくりすり足で歩いている。1度に1本ずつしか肢を動かさない。具合の悪い枝に移ってしまって危険へ真っ逆さま、ということがないようにだと考えられている。そっと近づいて、電光のようにさっと腕を突き出し、獲物を両手で捕まえる。ちょっとしたチャンスがあれば鳥や爬虫類でも捕らえる。どうです、ちょっとは悪そうな奴に思えてきたでしょう？　けれども、この悪党の本当に悪党なところはまだまだこんなものではない。

プラスアルファ

ピグミースローロリスは、ベトナム戦争中にほぼ絶滅してしまった。熱帯雨林が徹底的に殲滅されたからである。

▲ ロリスという名の語源は、オランダ語の「のろのろした」。古いオランダ語の「道化」「まぬけ」が語源だという説もある。そのロリスに、なぜ「スロー」という言葉がくっついたか……。

極悪非道のスローロリスの最も極悪な特徴は、何の躊躇もなく襲ってきた相手によだれをつけるところである。なんて卑劣で邪悪な仕業であろうか。しかも、スローロリスのよだれには毒液が含まれていて、そのパワーは……ちょっと腫れるほど。あれ、彼女のことを冷酷な殺人鬼と言いましたっけ？

スローロリスに毒があるかどうかに関しては議論が分かれている。最近になって、その毒がネコの出すアレルギー物質とよく似ていることが分かったのだ。だが、油断は禁物。この物質に触れた人のなかにはアナフィラキシー・ショックを起こす人もいるようなのだ。毎年ピーナッツを食べて亡くなる人が何人かいるのと同じだ。そうなのだ。このかわいらしい毛玉君は、ピーナッツ並みに強力な殺人者なのである。悲しいことに、スローロリスは、目玉を手に入れるために乱獲されている。伝統的な目薬にするのだという。これまた、伝統薬をつくる人々の直感力と想像力がいかに飛躍的かを示す証拠だろう。

▼ 東南アジアに住むスローロリス。後を追っても簡単に追いつくことができる。

ボノボ

PAN PANISCUS

この小柄なすばらしい奴は、しばしば「忘れられた」類人猿 *Pan Paniscus* と呼ばれる。ピグミーチンパンジーとも呼ばれていた。体格は貧相かもしれないが、不特定多数を相手に、地球上の生物のなかでおそらく最も奔放な性生活を送っているのだ。

チンパンジーというと、ボノボの従兄弟である普通のチンパンジーのことを指す。同じコンゴ民主共和国に住んでいるが、ボノボとチンパンジーは別種の動物だ。外見も少し違う——ボノボの脚は比較的長く、楽々と直立することができる。顔は割と色黒。唇はピンクで頭髪は長めの真ん中分け……え、これってヴィクトリア女王の肖像ですか？　それとも私の顔？　ボノボは、コンゴ川の南岸で独自に進化してきた。一方、彼の有名な従兄弟のほうはこの大河の北側に住んでいる。彼らが発見されたのは1939年になってから。他の大型類人猿がすべて発見された後、3世紀も経ってからだ。

ボノボは、普通のチンパンジーよりも人間的な顔をしている。普通のチンパンジーより奔放というのも本当だ。

「はい、その通りです。あなたがご覧になっているのは、倒錯傾向のある奔放なエロスの冒険者です……」

なんと、びっくり！

OK、色っぽい話に入りましょう。ボノボはいつでもどこでもセックスが大好きである。お母さんとお父さん、お父さんとお母さん、お母さんとお母さん、男の子と姉妹、女の子と姉妹、お父さんとお父さん、お母さんと……あ、

コンゴに行けば、ボノボたちに「こんにちは、初めまして」と挨拶できるだが、遠くから観察するだけにしておいたほうがいいかもしれない。彼らの遠慮のなさは少々度を超しているから。

ボノボのペアが楽しい退屈しのぎをしている。

皆まで言うなと——基本的に、全員が誰とでもセックスをする。ひとつだけ、お母さんと息子という組み合わせはないらしい。そんな彼らをどう思われますか？　変質的？　多くの動物がそうであるように、彼らも、同性同士のセックスにまったく抵抗がない。雄のボノボたちは、木の枝にぶら下がって「フロット」と呼ばれるペニス・フェンシングをする。あるいは背中合わせに立ち上がって陰嚢を擦り合わせる。雌たちは「はさみ」と呼ばれる行為をする。どんな行為かは説明しなくてもお分かりだろう。

ボノボの世界では、仲良くなるため、あるいはごめんなさいを言う代わりにセックスをするのだ。それだけではない。「こんにちは、元気？」とか「さすがに赤道アフリカに住んでると、毎日同じ天気が続きますね」といった挨拶の手段としてもセックスが使われる。ボノボは、文字通り、箸ならぬ木の実が1個落ちても笑うのではなくセックスをする動物だと言ってよい。

この好色漢についてもうひとつ。セックスの話ばかりで、女性の読者の皆様には本当にお詫びを申し上げなければならないが、ボノボは、私たちを除けば、正常位で性行為をする地球上唯一の生き物なのだ。また、舌を絡めるキスやオーラル・セックスもある。たった1ペアだけ例外はあったが、ゴリラはすべてこのような行為をしない。何か「変な」感じがするらしい。ボノボの最も人間的な部分は、相手を思いやる力がある点だ。実際、彼らは「最も人間的」だ。種としては、ゴリラよりも人間により近いのだから。学者先生たちによると、ボノボには、利他的行為をする能力、相手の気持ちを理解し共感する能力、親切心、忍耐心、感受性があるという。このサルを、人間と同じ属に分類して、例えばホモ・パニスクスといった学名をつけたほうがよいのではないかという意見もあるくらいだ。あるいは、逆に私たち人間をパン・サピエンスと分類し直すか。もちろん、ボノボ本人にどちらがいい？と尋ねた者はいない。もし尋ねられたら、彼らはじっくりと考え込むだろう……きっと、猿まねではない楽しい行為をやりながら考えてみるはずだ。

ボキャブラリー

種の定義

種とは何か。これについては意見が分かれている。1億種類もいるものたちを分類するのに、これではあまり具合がよろしくない。広く受け入れられている定義では、交配可能で、その結果雌雄両方の子どもが生まれること、かつその子どもたちがさらに生存可能な子どもを持つことができる生き物のグループを種と呼ぶ。だが、子どもをつくるのにマットレスの周囲でどたばたする必要のない生き物も少なくない。このほかにも他から隔離された地域にまとまっている生物のグループを種とする場合もある。ライオンとトラのあいだに子どもはできるが、彼らは同じ種には属さない。

マッコウクジラ

PHYSETER MACROCEPHALUS

マッコウクジラはまことに驚異的な生き物であると考えている次第である。いつでも喧嘩は受けて立つという気難し屋だ。この生き物が、平和だの愛だのをとんだ世迷い言と切って捨て、捕鯨船にも勇敢に反撃してきたことを忘れてはいけない。だからこそ、私どもはこの生き物を愛するのだ！　マッコウクジラ万歳！

マッコウクジラが英語でsperm whale、精液クジラと呼ばれるのは、その昔、このクジラが頭部に大量にため込んでいる油っぽい液体を、捕鯨船員たちが……あとはご想像にお任せする。実際はそうではない。この物質の本当の目的については議論が分かれている。複数の用途がある可能性が高いが、少なくとも繁殖に関係する用途は含まれていない。この油のようなどろどろしたものは、クジラが潜水しようとするときに固体化することが知られている。マッコウクジラは驚異的な深度まで潜れることで有名だが、その際にこの物質の助けを借りている可能性は高い。また、この液体の詰まった巨大な「メロン体」が、360度指向性のあるマイクロフォンとして機能しているのはほぼ確実だ。何キロも離れた場所についての情報収集に使われる。実際、このクジラは、頭を使ったエコロケーションで食べ物を見つけている。この頭から発する音は、現生の動物が出す既知の音のなかで最大だ。触腕を絡めてくる大好物のダイオウイカを倒すことができるほど大きなクリック音は決め技である。

Ⓐ この攻撃的な荒くれ者はコスモポリタンでもある。世界の海を股にかけて勢力を広げるのが彼の望みだ。止められるものなら、どうぞ彼を止めてみてほしい。

この驚異的な深海のリバイアサンについてはさまざまな物語や伝説が存在する。特に注目すべきは、アメリカ・ロマン主義の傑作、

➤ もちろん、この絵が描かれた当時は、どんな姿をしているか確かめるために海に飛び込んでマッコウクジラと並んで泳ごうなどという変人はいなかった。そのため、スケッチは、比較的まし[illegible]岸に打ち上げられたぶよぶよの死骸を元に想像を交えて描かれたものだ。

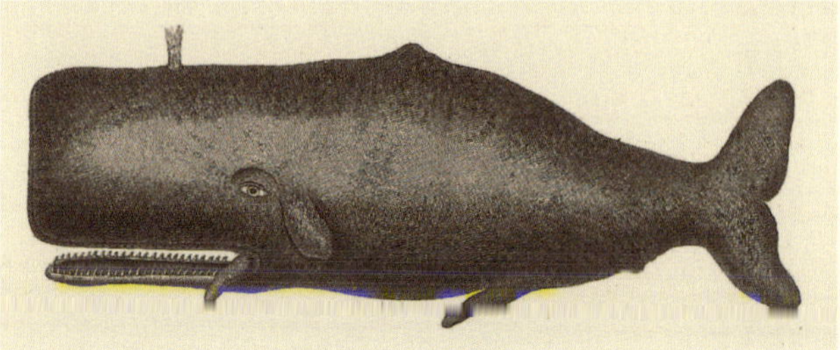

「げえっ、気分悪っ」

ボキャブラリー

竜涎香

マッコウクジラは、世界中どこにでも姿を現す屈指のコスモポリタンだ。さらに、香水製造業全盛時代につくられた最も重要な調合材料のひとつ、竜涎香（りゅうぜんこう）を生み出す。マッコウクジラは巨大な生き物だけれども、食べたダイオウイカの鋭いくちばしが無事に消化管を通過するかどうか、とても不安になるのは仕方がないことだろう。スムーズに体内を通過させるために、くちばしを竜涎香と呼ばれる物質で包む。だが時々、大きすぎてその油っぽい塊を口から吐き出さなければならなくなるのだ。竜涎香は水に浮く。数年間海をぷかぷかと漂ううちにちょっとしたビンテージものになる。そして途方もない金額で売れるのだ。

ハーマン・メルヴィルの『白鯨』だろう。メルヴィルの作品に登場するクジラは非常に精緻に描かれているが、この物語が捕鯨船エセックス号の沈没を含め実話からヒントを得て創作されたことを知る人は少ない。巨大なマッコウクジラに2度にわたって体当たりされたエセックス号は、海の悪魔デイヴィー・ジョーンズのお蔵へ直行の片道切符を渡されてしまったのである。

「もうちょっと左、もうちょっと右……ああ、うん、なかなかいいねえ。最高だよ!」

究極の捕食者

史上最大の動物（恐竜も含めて）は、マッコウクジラの大柄な従兄弟シロナガスクジラだ。シロナガスクジラは、海水を吸い込んで主食の小さなプランクトンを食べる。だが、これを捕食と呼んでいいのだろうか？　理論的には、イエスである。理由は、どんなに小さくても彼らが食べているのは動物だから。だが、私ども不思議纂録協会のスタッフ一同としては、この巨漢を捕食者と呼ぶのはもの足りない、もう少し冷酷非情なものを捕食者と呼びたいと思うのである。プランクトンは事実上逃げることができない。したがって、獲物であるとは考えられない。だから、シロナガスクジラは捕食者ではないと仮定することは可能だろうか。ほんの思いつきなのだが。そうすれば、マッコウクジラを史上最大の捕食者と呼ぶことが可能になる。なにしろ、あのTレックスも霞んで見えるほど巨大な恐竜スピノサウルスよりも大きい。それどころか、ひれ1枚でホオジロザメ全身分のサイズがあったという絶滅した巨大ザメ、メガロドンよりも大きいのだ。この巨体を誇るマッコウクジラはきわめつきのタフガイで、ちょいとおやつにイカでも食べたいなということになれば、ロンドンの2階建てバスサイズのダイオウイカと喜んで格闘しようという奴である。

プラスアルファ

香水をつくる材料には、さまざまな低木、ハーブ、苔、ジャコウネコ——イタチに似ている……ただしもっと不機嫌——のお尻から掻き取った物質（186ページ）などがある。

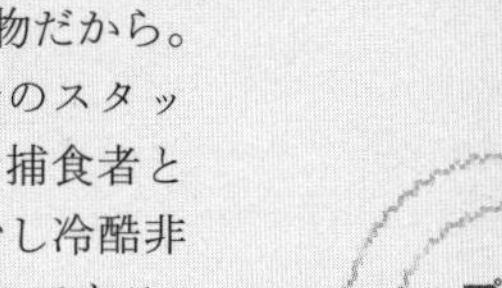

ジャコウネコ

シファカ属

PROPITHECUS SPP.

この惑星で最も小粋な奴をご紹介しよう。ブルックスブラザーズのシャツを持っているわけでもないし、お天気の悪いときの服には最高級のハリスツイードがぴったりだということを知りもしないけれど、身繕いとはいかなるものかについて一家言持っていることは確かだ。

マダガスカル島に住む、キツネザルの仲間の魅力的なサルたち、シファカ。そうです、あのアイアイと同郷です。マダガスカル島がアフリカ大陸と別れを告げたのは9,000万年前。まだ恐竜たちがこの惑星を闊歩していた時代のことだ。キツネザルの仲間は、約5,500万年前に、他の霊長類と分かれた。そして、彼らはさまざまに多様化し、マダガスカルという美しい熱帯の楽園が提供してくれたありとあらゆる生態学的ニッチを埋めていく。やがて、そこにやってきた人間たちは、キツネザルたちが非常に美味いということを発見する。

シファカという名前は擬音だ。彼らが出す声をまねたものである。島の西側に生息するシファカは「シー・ファク」と聞こえるような声を出すので、その地域の部族の人々は彼らを「シファ

ボキャブラリー

適応放散

ある動物が、パンを買いに商店街に出かけ、ふと気がつくと完全に道に迷っていた、という状態に陥ることがある。だが時には、その見知らぬ新しい場所が思いの外、気に入る動物もいるのだ。それどころか、彼のような愛想のよい動物が利用できるさまざまなチャンスにあふれている場所もある。年月と共に、彼の子どもや孫たちの数がどんどん増えてその土地も少々窮屈になってくる。だが心配はご無用。彼の子孫たちは新たな種に進化し、新たなニッチを埋めていくからだ。このような形の急速な種分化を適応放散と呼んでいる。

「初めまして」

シファカは、「黒いTシャツにオレンジ色のパンツ」というあり得ないコーディネートをうまく着こなしてしまったということで、ファッションデザイナーのあいだでは伝説的存在になっている。

カ」と呼んだ。一方、島の東側のシファカはくしゃみのような声を出すので、東側の部族はこの動物にくしゃみのように聞こえる名前をつけた。おかげで風邪の季節には、島の人々にとってもシファカ自身にとっても非常に紛らわしいことになっている。

ほとんどのキツネザルは4本脚のジャンプを好むが、シファカは、もう少し……直立姿勢……のほうが優雅であると考えた。そんな姿勢で木々のあいだをぴょんぴょん跳び回る生活に驚くほどよく適応する。なかには、大枝小枝の生い茂る中を時速32キロものスピードで跳んでいくものもいる。もちろん、ずっと身体を直立させたまま樹間を跳び回るには、それなりの技術が必要だ。シファカは、木からジャンプすると180度方向転換し、10メートルも離れた次の木に顔を後ろに向けたまましがみつく。枝から枝へ跳び渡るのが上手だということは、地面の上を移動するのはあまり上手でないということを意味する。それでも、彼らはなんとかがんばっている。だが、どうがんばっても、年に1度の全国玉蹴り大会に出場してから、アメリカ西部の平原をはるばる馬に乗って横断し、やっとの思いで到着した酒場に向かうカウボーイのようにしか見えないのは残念だ。

「じゃあ、どこが小粋だって言うんだい？」とおっしゃいましたね。実は、常にきちんと身なりを整えておくためにいつでも自由に使える驚くべき小道具をいろいろと持っているのだ。まず彼が持っているのは、櫛歯――高度にその役割に特化した歯。これを使って密生する毛を梳き、清潔に保つ。さらに、後肢の指のうち1本だけがかぎ爪になっている。この爪が化粧室で大活躍する。使い方は……え、違うんですか……ええ、そうなんですか……じゃあひょっとして……すみません、みなさんのお時間を無駄にしてしまいました。私の考えでは、てっきり……いや、忘れてください。

マダガスカル島のさまざまな場所で、最もおしゃれな靴下止めとはどんなものか究めようとしている彼を見ることができる。

プラス アルファ

島は、生物学者にとってきわめて特別な場所だ。海から上がって足を踏みしめる場を提供してくれるだけではない。島では、いたずら好きな進化がありとあらゆるマジックを見せてくれる。ただし、生物学者が考える「島」の定義は、一般の人が考えるよりも少々広い。この分野の学者先生たちにとって、島とは、単によその土地との行き来が非常に困難な隔絶した場所を意味する。高山の湖、勾配の厳しい山、急斜面に囲まれた谷底、砂漠のオアシスなども「島」と考えられる。場合によっては島も「島」である。

島

ハネオツパイ

PTILOCERCUS LOWII

ハネオツパイは世界最強レベルの酒豪である。この動物もまた、信じられないほど小柄ながらたいへんな大酒飲みである。小型のクマネズミほどの大きさしかないが、人間にすればグラスで12杯分のワインに相当するアルコールをたったひと晩で摂取する。しかもこれを毎晩続けてもけろりとしているのだ。

ハネオツパイがねぐらの木にいる。めったにないことだ。

小さな小さな、しかも美味しいひと口サイズの小動物が毎晩完璧に酔いつぶれているという話を聞いたら、あまり得策ではないのではと驚かれるのではないだろうか。捕食者は食べ放題で大浮かれのはずだ。動物のアルコール摂取に関する研究はあまり多くないが、そのうちのひとつに、オオコウモリの飲酒について調べたものがある。発酵した果実を彼らが好んで食すかどうかという研究だ。結論から言うと、彼らは発酵した果実を好んで食うことはない。これには多少想像力の飛躍が必要だったのだが、彼らはそれほど愚かではなかったのだ。「酔っぱらったコウモリ＝死んだも同然のコウモリである」と研究者のひとりは指摘している。ところがハネオツパイはブラタムヤシの木に通い詰めだ。ブラタムヤシは非常に気前のよい木だ。つぼみに酵母菌の1種が存在していて、つぼみの中で花蜜と酵母菌が発酵し、アルコール飲料ができる。この熱帯雨林パブを見つけたのはハネオツパイだけではない。7種の動物が定期的にこの木にやってくる。だが、常にこの木に入り浸っているのは我らが小さなツパイ君のみである。もちろんブラタムヤシもただのお人好しではない。睡眠不足になりながら、酒好きな動物たちをおびき寄せて一晩中どんちゃん騒ぎをさせておくのは、単なる社会奉仕のためではない。これらの小さな社交家たちに受粉媒介者になってもらうのである。ブラタムヤシとハネオツパイのこの幸せな関係は5,500万年近くも続いている……いや、実に長い……歴史上最長の酒盛りである。

ヤシの木……サー・ピルキントン＝スマイズお気に入りの木である。

1杯どうぞ

もちろん人間の飲酒の歴史も長い。1万2,000年前、石器時代の人はせっせと原始的な道具をつくっていた。そのときすでに、果実を発酵させるための水差しが抜かりなくつくられている。パンを焼くというアイデアが生まれるよりも昔の話だ。シュメール人の残した最も古い文書のなかにはビールの製法が書いてあるものもある。実際、アルコール飲料なら、液体を安全に摂取することができる。危険な微生物を水と一緒に大量に飲んでしまうことがないからだ。ピラミッドが建造されていたころ、古代エジプト人はすでに、葡萄の収穫された年と地域ごとに分けられたブランドもののワインを飲んでいた。1,000年前、中国で醸造されていた酒は魂を養うと信じられていた。最も優れた芸術家たちのなかにはアルコール依存症だった人物も少なくない。マーク・トウェイン、ヘミングウェイ、ベートーベン、ヴァン・ゴッホ。皆強い酒から霊感を得ていた。また、偉大な指導者が大酒飲みの民衆扇動家だったのも偶然ではない。チャーチルはいつでも相当酔っぱらっていたし、ジョン・アダムズ（訳注：第2代米大統領）は朝食にビールを1杯したためることで有名だった。宗教的な儀式でも酒が登場するものは数限りない。ふたりの人間がこれからの人生を一緒に過ごそうと決めたとき、私たちはふたりのためにグラスを掲げる。わずかばかりの美味い酒。これが私たちの文明の基礎となっていると言っても言いすぎではない。では乾杯！

ビールの製造法がイギリスに伝わったのは16世紀。だからこの世紀は史上最良の世紀である。

ハネオツパイに1杯おごりたくなったら、地元の店を何軒か当たってみよう。

コシキハネジネズミ

RHYNCHOCYON CHRYSOPYGUS

こちらがコシキハネジネズミ君。英名は golden-rumped elephant shrew（黄金のお尻の象トガリネズミ）。動物界で最も立派なお尻の持ち主である。逃げ足の速さも世界チャンピオン級。しかも彼はトガリネズミじゃない……実は、トガリネズミよりもゾウに近い生き物である。

コシキハネジネズミが立派なお尻を見せびらかしている（またかい）。

「どうも、お褒めにあずかりまして。だって、ここが私のいちばんのチャームポイントでしょ?」

鼻が大きくてちょっと「トガリネズミっぽい」動物ではあるが、実はトガリネズミとは無関係である。クリスマスカードがトガリネズミから届くこともない。その通り。例の「収斂進化」という奴だ。ハネジネズミは、ゾウやアルマジロ、ハイラックスなどと近縁なのではないかと言われている。だがそれにも異論が存在する。ハネジネズミが象トガリネズミと呼ばれているのは、もちろん、現代的な遺伝学的分岐論による分析によって仮定された系統樹をたどったからではなく、ひどく大きくて立派な鼻を顔の真ん中に付けているからである。この非常に大きな鼻を使って、彼は落ち葉の下をまさぐり美味そうなものを探す。バッタや甲虫の類である。首尾よく美味いものを見つけた後も、少々厄介なことが待っている。ミミズを食べるときには、片足で押さえ付け、横からくわえてもぐもぐ咬まなくてはならない。それから、嚙み切ったミミズのかけらをぽいぽい口に詰め込んでいく。いや、おっしゃる通り、夕食の席がこのちび君の隣になったらえらいことになる。だが、それ以外の点ではきわめて楽しい奴なのである。

このかわいいハネジネズミとその結構な臀部を見ることができるのは、ケニアにあるアラブコ・ソコケ国立公園のみ。

ボキャブラリー

追跡抑止

自分を食おうとする者の手を焼かせようという興味深い方策。猛禽に追いかけられながら、ヒバリはしばしばきれいな声で歌う――「お前より速く飛べるぞ。それも楽しい歌を歌いながら楽勝でね」という捕食者へのメッセージだ。驚いたことにコチョウゲンボウなどは、ヒバリが鳴いているときのほうが追跡を諦めるのが早いことが明らかになっている。もうひとつ、トカゲのアノールの1種は、ヘビを発見すると腕立て伏せを始める。この場合のメッセージは「お前がいるのは分かってるぞ。だけど僕の体調は最高さ。いつでも相手になってやるぜ」だ。

「よし、かかってこい！」

この紳士が我らがコレクション中でも特にハイライトを浴びているのは、その血筋やお行儀のせいではない。それよりも、捕食者から逃れるために数々の驚くべき方策を進化させてきたことによる。まず、捕食者からの距離が十分にある場合には、脚を使う。相当なスピード――時速25キロで走って逃げる。これほど小さな動物にとっては驚くべき速さだ。だが運悪く捕食者との距離が近すぎた場合、コシキハネジネズミは思いがけない行動に出る。危険を避けて身を隠すのではなく、それとは正反対の行動――完璧に気が狂ったような大騒ぎを起こすのだ。落ち葉を叩いてがさがさと大きな音を立て、ひとりで大立ち回りを演じる。これで、攻撃しても時間の無駄だというメッセージを送り捕食者に警告しているのだ。この方法は時に成功しているらしい。捕食者から逃れる方法としては変わっているが、このような「追跡抑止」が実演される機会は数多い。自分が最高の健康状態にあることを「やれるものならやってみろ」という調子で誇示するものだ。

さてこの健康状態アピールがうまくいかなかった場合、次に来るのが「驚異のお尻救出作戦」。彼の金色のお尻 golden rump は目を引きやすい。我らがヒーローは、下草の陰をちょこちょこ走っていく。彼を食ってやろうと狙うごろつきは、目も綾なそのお尻に咬み付こうとするわけだが、これがうまくいかない。彼のお尻は非常に頑丈で歯が立たないのだ。コシキハネジネズミのお尻はすごく魅力的に見えるので、捕食者は彼の頭ではなくお尻に咬み付きたくなる。これによってハネジネズミが命を落とす確率が低くなる。捕食者を巧妙に欺むくための第3の戦術は、たくさんの巣を持つこと。腹を減らしたごろつきどもに、それぞれの巣をごちそうの入っている場所と認識されにくくするためだ。コシキハネジネズミ：なかなか立派な奴、と思っていただけるに違いない！

意外にもハイラックスはコシキハネジネズミの親戚である。だが、彼がよりゾウに近い生き物だということのほうが意外だろうか。

「朝も昼もミルクシェイクだけよ……」

サイガ

SAIGA TATARICA

しなやかでほっそりとした肢体。レイヨウは、アフリカやアジアの平原を弾むように跳ねていく。彼らは魅力的な生き物だが、なかには、肉食獣に手軽なお食事券を渡すためにサバンナでの生活を嫌うものもいる。アラビアのオリックス、南アフリカのクリップスプリンガー、アフリカのシタツンガ……そして、シベリアのステップを住処とするサイガである。

絶滅寸前で危機的状況にあるサイガは、人里離れたシベリアのステップで暮らしている。だがそれは大きすぎる鼻が恥ずかしいからではない。ツンドラでは、この巨大な鼻がことのほか役に立つのだ。サイガの鼻の中は非常に入り組んでいるので、鼻孔から入った冬の冷たい空気は、肺までの長い長い旅を終えるころにはすっかり温まっている。一方、夏のステップは厳しい日光にかりかりに照らされ、非常にほこりっぽい。そこでまたも「驚異の鼻」がサイガを救ってくれる。鼻の中にあるたくさんのひだがほこりをすっかり除去してくれるのだ。

サイガの数は非常に少なくなってしまった。そこへ至る経緯には信じられないような物語がある。発端はアフリカだ。みなさんご存じの通り、サイは、その角のために乱獲され、ほとんど絶滅にまで追い込まれている。分析の結果、サイの角には実際に熱を下げる効果があることが明らかになった。アスピリンやイブプロフェンと似た物質があったのだ。もちろん、医者のなかには、近くの薬屋まで出かけ小さな袋でいちいちほんの少しずつ買ってくるのは面倒だ

「ぎみ、ひったひ、なにみへうの?」

奇跡のサイガと奇跡の鼻。この鼻のおかげで、彼はシベリアのステップという苛酷な環境を生き抜くことができる。

ボキャブラリー

レイヨウ

偶蹄目（ぐうていもく）に属する動物。世界中にさまざまな種類のレイヨウが分布している。同じレイヨウでも、種的に近縁であるとは限らない。博物学者たちは、ウシ、ヒツジ、ヤギ、スイギュウをそれぞれのグループにまとめ、残りの動物たちを全部レイヨウと一括りにしたのである。

と考える先生もいる。そう、そう……地球をぐるりと半周して、陸上で2番目にでかい（そしていちばん気難しい）哺乳動物の先端にくっついているという件の薬を直接取ってくるほうがよほど簡単だよ――そいつは僕を殺してくれてありがとうなどとは絶対に言わないし、それどころか自分に銃弾をたっぷり浴びせてくれた礼に件の角を振り立てて襲いかかろうというけだものだけれど、構うことはない。何といっても、そいつをちょいと切り取れば1キログラム1万ドルで売れるのだから。

さて、お鼻の大きなサイガに話を戻そう。当時サイガは中国ではすでに絶滅していたが、ロシアでは至るところ大群で群れていた。実際、毎年何万頭獲ってもその数にはまったく影響なかった。やがて、ある「頭のよい奴」がサイガの角の商業的価値に目をつける。サイの角と似た鎮痛作用があったのである。角が流通する市場がどんどん拡大し、サイガの数は急激に減っていく。1950年には200万頭だったものが、現在はわずか5万頭になってしまった。さて、かような悪事を働いたのはいったいどこのどいつか？　耳を疑われるかもしれないが、実は犯人は世界野生生物基金だった――そう、あの野生生物保護を謳う慈善団体WWFである。一応弁護のためにつけ加えておくと、当時、それはよいアイデアだと考えられていた。そのころのサイガの数は非常に多かったし、これによってサイにかかる圧力が減ったのは確かである。サイはそのことに深い感謝の念を抱いているという。幸い、現在では、このすばらしい生き物とその堂々たる鼻をこの地球上で守ることにWWFも力を注いでくれている。

プラスアルファ

ベッドの中での成功を助ける効果があるとされる物質は数々ある。絶滅の危機にある動物の身体の一部を粉末にしたものもそのひとつだ。地球にとっては、これらの動物を生きたまま保存しておくことの重要性は、その死体を粉にしたものを服用して得られるというあやしげな利点をはるかにしのいでいる。それに、闇市場よりも調剤薬局のほうがずっとお手軽だと思いませんか？

氷河期、サイガはイギリスからアジア全域、アラスカさらにその東域にまで分布していた。残念ながら現在は、3カ所のごく限られた地域にしか生息していない。

中国の伝統薬――材料に使われた動物たちと同じように絶滅の危機に瀕していればよいのに。

ヨロイジネズミ

SCUTISOREX SOMERENI

ヨロイジネズミ、英名 armored shrew 鎧を着たトガリネズミ。一見しただけでは何ということもない生き物だ。武人のようにまばゆいもので身体を覆っているわけではない。戦闘で特別力を発揮する感じもなさそうだ。どう見ても、ただのトガリネズミにしか見えない。

ヨロイジネズミはごく普通の生き物である。体長 15 センチ。茶色のふかふかした体毛、尖った鼻、そしてトガリネズミ的な行動。だが、彼女の身体を切り開いてみよう。最初に気づくのは、彼女が身体を切り開いてくれてありがとうとは思っていないこと。次に気づくのが、その骨格の途方もなさだ。

普通の哺乳類には腰椎が 5 つある。腰椎とは脊柱を構成する骨のうち胸郭より下の部分、ちょうど胃の裏側にある骨だ。ところがヨロイジネズミはなんと 11 個も腰椎を持っている。通常より 6 つも多い。実際彼女の骨格はあまりにも複雑で、その重さは体重の約 4%を占めている。小型哺乳類の平均より 300%も多い。これに加え肋骨が異常に太いこともあって、ヨロイジネズミは背中に相当な重量がかかっても耐えられる。どれほどの重量かというと、成人男性（体重 70 キロ前後）に乗られても平気なのだ。

さて、ヨロイジネズミだが、彼女の問題の部分には、うまくかみ合うようになったとげが付いている。それによって、彼女の脊柱はさらに頑丈さを増しつつ、同時に自由にたわむこともできる。ヨロイジネズミは非常に身体の柔軟な生き物だ。ヘビのようににょろにょろ身体をくねらせて、非常に狭いトンネルも楽々通り抜けることができると言われている。

➤ヨロイジネズミ。ヒーロートガリネズミとも呼ばれている。一見すると鎧もつけていないし、勇者らしくもない。

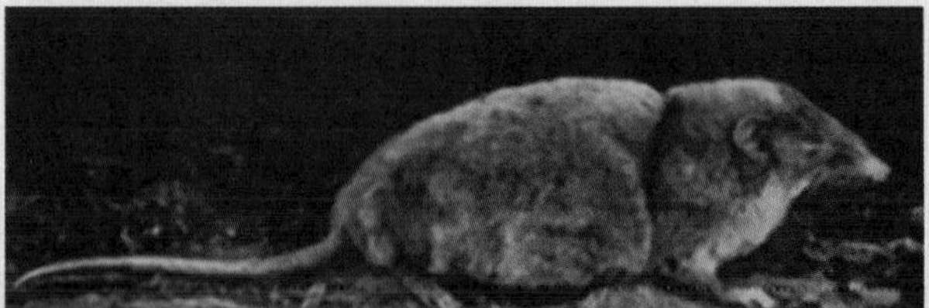

「よければ私の上に乗ってご覧なさい。
私がどれほどの勇者か分かりますよ」

ボキャブラリー

シュルー／トガリネズミ

アリ食いと同じで、シュルーと名がつく動物のなかには、トガリネズミではなく、トガリネズミに似ているだけでその名を騙るお茶目な動物たちがたくさんいる。これは、ヨーロッパ人のせいだ。彼らは世界中でトガリネズミに似た動物を見つけると、現地の人たちに、その動物の現地語の呼び名は野蛮だ、正しくないと言いきかせ、ヨーロッパにその動物を持ち帰って片っ端からシュルーと名づけてしまったのである。

秘密の骨

原産地の人々は、この小さなヨロイジネズミに魔法の力があると思っている。このかわいそうな生き物の身体の一部を身につけていると無敵になると信じ、お守りとして戦場に持っていくことがよくあるのだ。すごい奴だと思う。だが、本当のすごさはまだまだこれからだ。実は、この動物がこれほどすごい骨格を持つようになった理由が誰にも分からないのだ。自然は、無思慮な派手好みではない。少なくとも、それでご婦人方の気を引けるという場合以外はそんなことはしない。余分な出費はしない主義だ。要らないものをわざわざ作り出す苦労がどうして必要なのか？　ごてごてと余分な飾りをつけて見せびらかすのは、自然界では空疎な行動と見なされる。食料を見つけたり子どもをつくったりするために使えるはずの多くのエネルギーを余分に消費してしまうからだ。ヨロイジネズミがなぜこのような姿になったのかについてはさまざまな推測がなされている。不安定な岩の下で餌を漁っているから？　突然変異で偶然出現した形質が、陶太圧なしに固定化してしまった？　他の生き物なら筋肉を使うところを脊柱で補っている？　「何か」から身を守るために一生懸命進化してきたが、その「何か」が消えてしまったという可能性もある。いわく言いがたい未知の進化圧が何か存在するのかもしれない。だが、近くに住んでいる「足で踏んだらつぶれてしまうネズミ」族からは、そのような証拠はまったく見て取れないのだ。

もちろん、環境に合わせて進化したが、その環境のほうが変化してしまうというのは別に新しい話ではない。身の回りを見てみればよい。私たち狩猟採集動物が進化を重ねて適応してきた自給自足の生活は、いまやほとんど存在しないではないか？　私たちが、いつでも卒中を起こしかねない肥満体のチョコレート好きになったのも無理はない。

プラスアルファ

奇妙な身体の一部分や非常に風変わりな行動を「競争過去幻影」で説明できる場合がある。いや、競争好きな亡霊が現れてみんなを恐がらせるわけではない。ある動物が他の動物と競合しないように進化してきたが、そういう状況自体が変化してしまい、進化してきた動物が場違いで不思議な存在に見えることである。

ヨロイジネズミはコンゴ盆地に生息している。よければ行って踏んづけてみてもよい。

ソレノドン属

SOLENODON SPP.

「まっすぐ歩けない、毒のあるとてもまぬけなねずみ」。
新刊の絵本のタイトルではない。アメリカ大陸に住むとても楽しい生き物だ。
その鈍さで、他の哺乳類とは一線を画する動物である。
紳士淑女のみなさん、ちょっと調子の狂ったソレノドン君を温かくお迎えください。

ソレノドン。おばかさ加減では世界最大級。

「えへへ」

ソレノドンは世界で最も稀少な生物のひとつである。かつては、北アメリカ各地にさまざまな種のソレノドンが生息していたが、現在はわずか２種しか残っていない。ハイチソレノドンとキューバソレノドンだ。どちらも信じられないほど数が少ない。人間の進出以来激減してしまった。特に、ネコ、イヌ、移入されたマングースによる影響が大きい。ソレノドンは、どう見てもこれらの外来生物に追いかけられる生活向きにはできていない。大急ぎで逃げるためにできることと言えば、せいぜい行き当たりばったりにぎこちなくよたよたと歩くことくらい。もし何か驚異的な幸運によって捕食者から逃げおおせることができた場合、次に彼らがするのは、何かの下に頭を隠すこと――そう、頭だけ――だから、無明の闇に迷うこの生き物を捕まえることなど朝飯前なのだ。

哺乳類というものは概して賢いものだ。例えばコブラを捕まえるマングースのように、すばやく、非常に難しい獲物も捕まえられるもの。例えばイルカのように、複雑なコミュニケーション・システムや自己認識力を有しているもの。これに対して爬虫類には問題解決能力があるように見えない。朝の30分間を日光浴に費やさなくては歩き回れるようにならないという問題すら、いまだ解決できずにいる。あまりおつむの働きがよくないもうひとつの動物の仲間、節足動物と共に、爬虫類は、やたらに仕組みは複雑だが決して効率がよいとは言えない攻撃及び防御方法を発達させてきた……毒である。小さなヘビやクモが咬み付いて、ものの30分でサイを倒すことができると聞けば驚異的だが、サイのような相手と闘っているときに30分待つというのはいかがなものだろうか。なにしろ大きいうえに、咬み付いたことで相当腹を立てている奴を相手にしているのである。哺乳類ならば、超弩級の愚かさを持つものでなければそのような拙劣な攻撃及び防御方法を発達させたりはしないはずなのだ……そこで思い出すのが我らがソレノドン君である。

ソレノドンとは「溝のある歯」という意味だ。彼女はこの溝のある歯を使って毒を送り込む。毒のある哺乳類というのは、ソレノドンの他もう1匹のおめでたい毛玉君スローロリス以外にはほんのわずか例外的なものがいるだけだ。それでもソレノドンはすばらしい動物である。もしこの世からソレノドンがいなくなれば、世界はもっとずっと悪い場所になってしまうだろう。

もうひとつ、この不思議議纂録協会編する書物にソレノドンの確固たる地位を確保するに至った特徴がある。ソレノドンの雌の乳首は非常に変わっているのだ。とても長く、場所も、ほとんどお尻と言ってよい位置。尖った歯を持つ子どもソレノドンは、発育期のあいだその乳首をくわえてぶら下がり、母ソレノドンに引きずられて歩く……その乳首が長くなってしまう理由がよくお分かりになるだろう。

このおまぬけな生き物たちは、ハイチとキューバでもたもたと歩いている。

プラスアルファ

マングースはアフリカや南アジア各地で見られる動物だが、そのなかのインドマングースが、海を渡り、慣れない気候のなか、行った先々でちょっとした騒ぎを引き起こしている。インドマングースが世界各地に移入されたのは、ネズミによるサトウキビの食害を防ぐためだった。効果はてきめん。だが、西インド諸島やハワイでは少々てきめんすぎた。その土地固有の稀少な動物たちまでどんどん食い尽くしていったのである。そのなかにはソレノドンも含まれる。確かにマングースはなかなか困った奴なのだが、それは彼が悪いわけではない。連れてきてくれと彼が自分から頼んだわけではないのだから。マングースについて、おもしろい情報をひとつ：交尾のときに「クスクス笑い」と呼ばれる声を出す。

「クスクス笑っただけよ、爆笑したわけじゃないわ」

ナマケモノ亜目

FOLIVORA

動物界で最高にサービス精神旺盛な方をご紹介しよう。だが、彼を午後のお茶に招待するのはやめたほうがいい。どうしようもないほど遅刻してくるはずだし、正直申し上げると衛生観念のかけらもなく、パリのホテルマンも卒倒するほどだから。

ナマケモノは中南米の木の上に住んでいる。捕まえられるものならほとんど何でも食べる。彼らがとてつもなく動きののろい動物であることを考えると、「ほとんど何でも」とは木の葉ということになる。ナマケモノは、腹を上にして木にぶら下がり、木の葉に追いつこうとがんばっている。なんとかして十分距離を縮めることができると、彼らは、木の葉に襲いかかり、というかのろのろと手を伸ばしむしゃりむしゃりと食う。腹がいっぱいになると、あらゆる類の無関心さを持って日々の仕事に対応する。そして、より静的な獲物を捕獲すべくそろそろと去っていく。

ナマケモノの毛皮には生命があふれている。熱帯雨林の中にもうひとつの熱帯雨林があるようだ。ふさふさした彼の毛のあいだには、藻類のようなバクテリアがぎっしり住んでいる。そのため、ナマケモノの体色は一見すると緑色だ。その他にも、図鑑さながら各種ダニや甲虫の類がにぎやかに住まっている。彼の毛のあいだに住むガもいて、週に1度ナマケモノが排出する糞に卵を産む。

見るからに無精なナマケモノだが、実に樹上生活に非常によく適応した存在なのだ。なにしろ、哺乳類に限ると、森林地帯の生物体量の3分の2がナマケモノなのである。また、捕食者に悩まされることもほとんどない。彼らを取り囲む小さな生態系のおかげで、完璧な隠蔽的擬態ができているのだ。それによって、ナマケモノを住処にしている友人たちもまた生き延びることができる。ね、確かにサービス精神旺盛でしょう。やはり彼らをお茶に招くべきでしょうかね。

「いや……いや……暴食と嫉妬なんて
よその木（せかい）の話ですよ」

もしお茶に呼
だナマケモ
が時間になっても
れなかったら、彼
家がある森の辺り
行ってみるとよい。

ハリモグラ科

TACHYGLOSSIDAE

空想動物のようにも見えるが、彼女は紛れもなく実在する。
キーウィとトイレ掃除ブラシが結婚して生まれたのではないかと思わせる外見。
多くの哺乳類のなかでも特に奇妙な存在である。

ハリモグラの奇妙な習性が見られる場所はさまざま。具体的には、オーストラリアとニューギニア。

鳥のように卵を産むハリモグラは、カンガルーのような袋を持ち、哺乳類のように子どもに乳を与える。ハリモグラとミユビハリモグラにカモノハシを加えて、現在3種の単孔類が生存している。これらの動物が単孔類と呼ばれるのは、彼らが総排出腔を持っているから。総排出腔は、あらゆるものを排出するのに使われる。排泄物でも子どもでも何でもだ。この奇妙な生き物たちは、総排出腔以外にも鳥との共通点を持っている。哺乳類なのに卵を産むのだ。だが、彼らのパグルたちは——本当にハリモグラの子どもはパグル（「puggle 気のふれた」という意味）と呼ばれる——乳を飲んで育つ。

ハリモグラが繁殖のために行う儀式はなかなか大仕掛けだ。雌は、交尾の準備がほぼ整った段階でフェロモンを分泌し始める。この匂いは雄にはたまらなく魅力的だ。というわけで、1カ月近くにわたって、鼻の下を伸ばした求婚者たちが列をなし、ぞろぞろと雌の後を追い続ける。この雄の隊列は最大で11匹にもなり、雌がそろそろ次の行動に移る日が来たという確信を持つまで、ずっとその後をとことことついて歩く。いよいよその日が来ると、雄たちのあいだで争いが始まる。彼らは何時間にもわたって粛々と相手をつつき合う。そうしているうちに雌のまわりには深いドーナツ型の溝ができる。勝者が決まると、その気になった雌が位置に着き、勝った求婚者は先端が4つに分かれたペニスを解き放つ。ようやく結婚の儀式の完結だ。これらを見ていくと、ひとつの疑問が湧いてくる。こんなに奇妙な生き物が実際にいるというのに、中世の博物学者はなぜ、わざわざ空想の生き物を創り出す必要があったのだろうか。

「ふーん、あたしのこと『変な格好』って言ったのはどなた?」

バク属

TAPIRUS SPP.

バクは不思議な姿をしているとしか言いようがない。私ども不思議纂録協会のスタッフが思いつく限り最も近いのは、ブタとゾウの中間的なものといったところだろうか。もちろん、ブタとゾウの交配というのはあまりお勧めできない。それにそんなことをしなくても、我らがあり得ない生き物君はちゃんと存在してくれている。

かつて多種多様な一大勢力を形成し全世界に存在していた鼻の長い生き物。その最後の生き残り4種を寄せ集めてバク属が構成されている。中米のベアードバク、アンデス山脈北部のヤマバク、マレーバク、アメリカバクである。かつてはあらゆる場所にバクがいたが、現在はわずか幸運な場所が残っているだけである。

バクはかなり大型の動物――だいたいヒツジと牛のあいだくらいの大きさ――で、馬やサイと近縁である。子どものバクには特徴的な斑紋がある。スイカの隠蔽的擬態と同様、まだらに日の当たる林床に擬態した保護色だ。実際、食おうと思ってしっかり探さない限り、この非常にかわいらしい坊やたちはほとんど目に入らない。成獣は、マレーバクを除いて全身茶色。マレーバクは黒地に白い鞍を掛けたような姿をしている。ペンギンのできの悪い物まねをしているように見えるその姿は、実は非常に優れた隠蔽

ちょっと変わったアメリカク。カッコよいといませんか。

プラス
アルファ

バクの頭蓋骨を見て目に止まるのは、顕著に目立つ鼻と歯だ。この歯を使って木の葉をブラウズする。

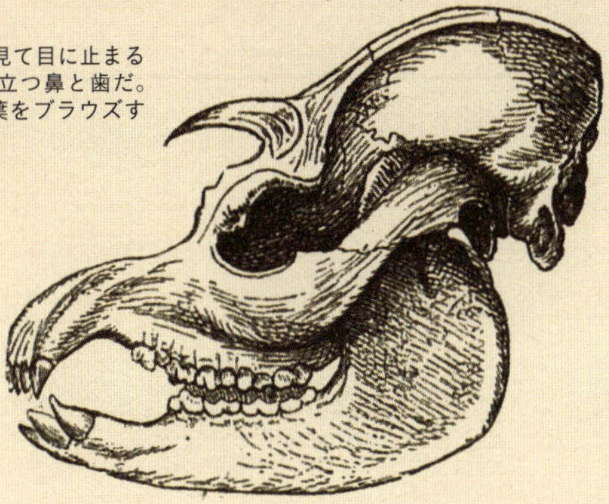

現生生物はきわめて多種にわたる。500万種から2億種のあいだだという。それだけの数の生物が今このときにもせっせと生きているのだ。だがこの数は、だいぶおおざっぱであるばかりでなく、ごく微々たる数字だと言える。これまでにこの世に存在していたすべての生物の数を考えてみよう。今日1～2億種の生物が生きているが、それはこれまでに生きていた生き物のわずか1%にしかならないと考えられている。

的擬態となっている。この地域の捕食者はモノクロでしかものが見えないものが多い。そのため、コントラストがくっきりとした姿をしていると、逆に輪郭はぼやけて見分けにくくなるのだ。

あれやこれやと書いてきたが、この動物が本書の1項目を飾るに至った理由は誰もがご存じのことと思う……あの大きな、立派な鼻だ。短めのゾウの鼻と言ってしまってもよいほどだ。木の葉や植物の美味そうなところをブラウズするために使っている。植物食の動物のなかには、木の葉を選んで食べるブラウザーと、地面の草を片っ端から食べるグレイザーがいるのである。さて、この驚異の鼻の使い道はそれだけではない。匂いを嗅ぐのに使うのは当然だが、格好のよいシュノーケルとしても使用される。バクは泳ぐのが大好きだ。かわいい毛皮製の潜水艦よろしく水の中に身を潜める。このような行動を好む理由は数多くある。気持ちがよいし、涼しいし、寄生虫がいれば魚が食べてくれるし。身を守る手段にもなる――この生き物に捕食者の手が届いたとしても、バクは首の後ろの部分が固く盛り上がっているので、しっかりと食らいつくのは非常に困難なのだが、仮に捕まってしまっても、バクは捕食者を道連れに近くの水溜まりに飛び込んで、相手を水底まで引きずり込むと言われている。あっぱれと言うしかない。バクは水中深くに潜っても全然平気だが、捕食者のほうはたまったものではない。当然捕まえていたバクを離すことになる。バクに万歳三唱！

ボキャブラリー

ブラウザーとグレイザー

ブラウザーとは、樹木や低木の葉を食べる動物。グレイザーは地面に生える草などを食べる動物だ。動物たちはそれぞれ、自分たちがランチに食べたいものに合わせてうまく適応するべく進化してきた。好例はヒツジとヤギ。非常に近縁の種だが、見かけはかなり異なっている。

バクの生息地は新世界及び東南アジアの一部に散らばっている。分布のしかたが変わっているのも驚くべきことではない。

テンレック科

TENRECIDAE

やっほー！　我々不思議の纂録に携わる者といたしましては、この非常に興味深い生き物君にちょいとご挨拶をしたい。え、ああ確かに……彼はめかしこんだハリネズミそっくりだ。だが、彼はそんなものとは縁もゆかりもない。いちばん近い親戚は、キンモグラ、ゾウ、ハイラックス。というわけで、親戚みんなで集まって何かしようというときには、場所選びにはなかなか苦労させられる。

➤ テンレックの多くはハリネズミによく似ている。だが、彼らはまったく別種の動物だ。

「僕はハリネズミじゃありません――
でも同居するにやぶさかではないですよ」

テンレックというのは実に驚くべき動物たちだ。マダガスカル及び中央アフリカに30種が生息している。多様な生態学的ニッチを埋め、川の中をぷかぷか泳いでいるもの、やぶの中をごそごそ這い回るもの、樹上生活をするもの、地中で暮らすものなどさまざまである。驚くべきことに、彼らは、他のもっとよく知られた動物と外見がそっくりになっている。というわけで、なかにはハリネズミに生き写しのものもいるのだ。

他には、水になじむ生活に適応して外見がカワウソのようになったものもいる。ぴょんぴょん跳ね回りツパイとそっくりになったもの。シマテンレックなどは、着飾りすぎた伊達男に似た外見に進化したかのようだ。

タマらないおはなし

いよいよこの話をしなければ。ご存じのように、精巣は精液やホルモンを生成する臓器である。繁殖のため、あるいは身体の「雄らしさ」を生み出すために必要だ。もちろん彼らにも精巣はある。だが、彼らはそれを身体の内部に留めておく数少ない哺乳動物のひとつなのだ。

身体の内部のように温度が高いと、精巣はうまく機能しない。そのため、大半の動物は精巣を身体の外にぶら下げることにした。陰嚢である。だが、クジラやイルカなどごく少数の動物は、精巣を体内に収め、その温度を低く保つための複雑なシステムを進化させた。では、テンレックはどうしたか。彼らはとても賢かった。逆に全身の体温を低く保つことにしたのである。

彼らにはもうひとつ、ひどく変わった身体の特徴がある。何もかも一緒くたの開口部がひとつあるきりなのだ。お尻の穴やら何やら全部まとめてひとつだけ――鳥や爬虫類、両生類でおなじみの、総排出腔の名で知られるいろいろと使い勝手の悪い穴だ。

そうなのだ！　驚異的な、けれどもどこかで見たことのある動物たち。きっとみなさんもそうお思いだろう！

テンレックは、ハリネズミのような顔をしてマダガスカルや中央アフリカに住んでいる。

ボキャブラリー

収斂進化

大きく複雑な「木」がどんどん枝分かれしていき、我らがテンレック君のような「タマげた」奴も含め、あらゆる種類の奇妙な生き物たちが生まれてくるというのが進化のイメージだ。だが、すべての生態学的問題に対して、そんなにたくさんの解答があるわけではない。空中で生活するなら、しっかりした一対の翼を用意しなければならない。そこでコウモリと鳥は、遠くかけ離れた種であるにもかかわらず、同じような外見の生き物になったのだ。テンレックも、ハリネズミやツパイやカワウソのような姿をしているのは、ハリネズミやツパイやカワウソのような生活をしているからである。

シマテンレックは、明らかにミュージカル俳優と同じニッチを占めている。

ゲラダヒヒ

THEROPITHECUS GELADA

ゲラダヒヒはとても毛深い旧世界ザルの仲間で、エチオピア高原に住んでいる。私どもとしては、このサルに非常に心引かれていると言わねばなるまい。それは、彼らが私たち自身を思い出させる数々の不思議な特徴を持っているからである。

ゲラダヒヒはエチオピアの高い山の中で、巨大な群れをつくって暮らしている。1日の大半を、座ったまま草を食べたりグルーミングをしたりしながら過ごしている。そのため、彼らは、その環境に合わせてふたつの人間的な特徴を進化させた。ひとつ目は、他の4指と向かい合わせになる親指が、動物界ではヒトに次いでよく発達していること。彼らが食物として選んだ草をつまんで引き抜くのに都合がよいためだ。ふたつ目は、大きくてしっかりと肉の付いた臀部。地面に座るのにとても具合がよい。だが、この生き物が、我らが珍獣名鑑に登場するポイントになった部分は、もっと珍しい、ちょっときわどい方面での適応進化である。

このサルが、人間と並んで標高の高い土地で暮らすことを好む旧世界ザルであることも注目に値するだろう。だが、ゲラダヒヒがなぜ海抜4,500メートルもの高地まで登ってきたがるのかは謎である。そこには彼らの食べられるものが何もないのだ。我々も彼らがそこから見える

「あんたがなんで
そんなに夢中になるんだか、
分からんね。
変顔のおサルさんよ」

▼ この妙に親しみを感じてしまう奴の住処は、エチオピアの高原に広がる草地だ。

➤ 雄のゲラダヒヒの胸にはっきりと見える模様。女性器の形をしている。

景色に惚れ込んでいるのではないかというくらいしか理由を思いつかない。また、ゲラダヒヒは、恐れや服従を表現するために唇をめくり上げて巨大な門歯をあらわにする。多くの動物の場合、歯を見せるのは攻撃のしるしで、霊長類も例外ではない。他の霊長類で歯を見せるのは、にやっと笑う人間のみである。

だが、ゲラダヒヒをこの動物名士録に登場させたのは、実はその胸の模様なのである。雌の陰部は大きなお尻で見えにくい。しかも、ほとんどの時間は座って過ごしているから、雄には彼女が繁殖に適した時期にあるかどうか判別できない。そこでゲラダヒヒのご婦人方は、胸にその女性自身の正確なレプリカを進化させたのである。この疑似女性器も、交尾期には腫れて大きくなる。そのような状態の胸の模様は「ネックレス」と呼ばれている。奇妙なことに、雄も、胸に同じような女性器型の模様を進化させた。だが、ヒトという動物のことを考えれば、奇妙とも言えないだろう。人間も長い時間肉のたっぷり付いた尻を下にして座っているし、恥ずかしい部分は服で見えない。そこで彼らは、顔に女性器を模した突起物——唇を進化させた。そしてヒトの雄も同じようにそれを備えているのだ。

⮝ ゲラダヒヒはさまざまな顔の表情を見せる。それによって、考えていることを仲間全員に正確に伝えることができる。

ボキャブラリー

相貌失認

顔を見分けることができない状態。相貌失認があることで最も有名なのは、霊長類学者のジェーン・グドール博士だろう。彼女がなぜこんなにチンパンジーを愛していたかもこれで説明がつく。

ヒヒ、ドリル、マンドリル

ゲラダヒヒは、ヒヒやそれとごく近縁のドリル、マンドリルと近いサルである。ヒヒには、体重わずか14キログラムで割と小型のギニアヒヒから、40キログラムを超える立派な体格とライオンよりも長い犬歯を誇るチャクマヒヒまで、5種が存在している。さらに大きいのが近縁のマンドリルとドリルだ。マンドリルはサルのなかでは世界最大。顔の色がとても鮮やかだ。一方のドリルは少し小型。顔は黒く、尻に鮮やかな色がついている。家族で森の中を移動するときに、この色鮮やかな尻が役に立つ。

「ちょっとイカしてるだろ?」

ジャコウネコ科

VIVERRIDAE

なかなかハンサムなこちらの動物はジャコウネコ。ちょっとカワウソやマングース風味のネコといった感じの生き物だ。そして、何と言ってもすてきなお尻を持っている。

ジャコウネコにとって不幸だったのは、彼を美味なる食材と考える人間がいたことだった。ところがSARSに感染したジャコウネコを食べた人が大勢入院するという事態が発生する。これがジャコウネコにさらなる不幸を招く。無謀にも美味遺伝子を持ちながら、同時に病気に感染しやすいという特徴を併せ持ったため、何千頭ものジャコウネコが駆除されてしまったのだ。

美味と言えば、筆者もかなりの食い道楽で、これまでにもコメディアンの団体を乗せた難破船を見つけた人食い人種以上に面白おかしいものを食べてきた。あるとき、ベトナムのホーチミン市で、カフェ・クッ・ギョンというものを飲んだ。実はこのコーヒー（コピ・ルアク）はジャコウネコの排泄物からつくる。運の悪いジャコウネコがコーヒーの果実を食べさせられる。2、3日後、コーヒー豆がぽろんと出てくるという具合だ。

さて、このすばらしい生き物について、最後にもうひとつ。彼は香水製造業界に多大なる貢献をしてきたのである。彼の器用なかわいいお尻の周囲にはいくつかの臭腺がある。そこから、いぶしたような匂いのする高級なムスクという物質が分泌されるのだ。このムスクを、気の毒なジャコウネコのお尻からスプーンを使って掻き出して集めるという。ジャコウネコにとっては大迷惑だ。うわさによると、彼は給仕が銀食器で食事を盛り付けてくれる形式のディナーが大嫌いになってしまったという。だが、この物質はたいへんよい匂いがする。

では、まとめを。ジャコウネコ──世界で最も洗練されたお尻を持つ動物。

プラスアルファ

フォッサ、別名マダガスカルジャコウネコは、マダガスカル島に住むたいへんしたたかな捕食者だ。筋肉もりもりのピューマと、イタチを足して2で割ったような姿で、キツネザルなど島特産の美味しいものを主食にしている。狩りのしかたは忍び寄り型。だが、彼が狩りを行う森は急速に消滅している。フォッサは長い尾を使ってバランスを取る。サーカスの綱渡り芸人が使う長い棒と同じように尾を利用するのだ。また、爆発的な瞬発力を持っているという。

ジャコウネコはアフリカとアジアで見ることができる。ただし、彼が朝の1杯を済ますまでは声をかけないこと。

ウォンバット科

VOMBATIDAE

とっても愉快な動物でしょう？　でも、すごい怠け者なんです！　この無精な生き物は、何事も気楽にやるのが流儀。1日のうち16時間はうとうと眠って過ごす。残りの時間は休憩時間だ。

ボキャブラリー

有袋類

有袋類が子宮の中で子どもを育てるのはほんの短期間。生まれたばかりの子どもは、ピンクの懐中時計といった様子で、袋の中で育てられる。

これは、この生き物が、たいへんカロリーの乏しい食べ物をグレイズすることを選んだことが原因である。幸いとても効率のよい消化システムを持っているので、ヒツジやそれに類する草食動物が食べなければならない量の3分の1食べるだけで済む。だが、摂取したエネルギーはみんな食物繊維の中にがっちり閉じ込められているため、1回の食事を完全に消化するのになんと14日もかかるという。さて、この驚くべきウォンバットは、必要とする水もさらに少なく、ヒツジが必要とする量の約20%だ。これほど代謝が遅いのは、彼らが住む、非常に乾燥していて栄養分の乏しい低木林に適応した結果である。

消化という大事業が終わると、我らがのろまの英雄君はさいころのような糞をする。そう、本当に……さいころのように真四角な糞だ。ウォンバットは糞を使ってなわばりを主張する。そのため、転がっていってしまわないように、このように角張った糞をするのだと考えられている。

ウォンバットは穴を掘って暮らす有袋類なので、子どもを育てる袋は上下逆さまに付いている。親ウォンバットが穴を掘ったときに、袋の中に土が入ってしまわないようにするためだ。

このすばらしい動物について最後にひと言。彼のお尻は年季の入ったブーツ並みに硬い。ディンゴのような捕食者に出くわすと、ウォンバットは最寄りの巣穴まであわてて逃げる。それにかかる時間はほんのわずかだ。実は意外に動きはすばやい。巣穴に入ってしまえば、まったく安泰そのもの。穴の入り口を、軟骨でしっかり守られたお尻で蓋してしまうのだ。鮮やかなお手並み！

ウォンバットの生息という幸運に恵まれた地はオーストラリアの3地域。

あ

か

さ

た

な

は

ま

や

ら

わ

図版提供

Cover – (Anglerfish) Bruce Mahalski
Cover – (Centipede) © CC | Tod Baker
12 – © Ingo Arndt | naturepl.com
13 – © Creative Commons | Friz Geller-Grimm
14 – Public Domain
15 – © Creative Commons | fearlessRich
16 – © Creative Commons | Vianello
17 – Public Domain
18 – © Power and Syred | Science Photo Library
20 – © Doc White | naturepl.com
21 – © Jeff Rotman | naturepl.com
22 – Public Domain
23 left – Public Domain
23 right – © Creative Commons | Richard Bartz
24 – © PREMAPHOTOS | naturepl.com
25 – © SSPL via Getty Images
26 – © Creative Commons | Christian Fischer
27 – © Creative Commons | Keven Law
28 – © Creative Commons | Anatolii Kokoza
30 – Public Domain
31 left & right – Public Domain
32 – Public Domain
33 left – Public Domain
33 right – Public Domain
34 – © Carl W. Dick & Stephanie Ware
35 – © David Noton | naturepl.com
36 – © Solvin Zankl | naturepl.com
37 center – © Adam Nieman | Science Photo Library
37 bottom – Public Domain
38 – © The Natural History Museum, London
39 – © PREMAPHOTOS | naturepl.com
40 – Public Domain
41 – Public Domain
42 – © Morley Read | naturepl.com
43 top – © DEA PICTURE LIBRARY | Getty
43 right – Public Domain
44 – © Jurgen Freund | naturepl.com
45 center – Public Domain
45 bottom – Public Domain
46 – © Steve Gschmeissner / Science Photo Library
47 – Public Domain
48 – Public Domain
49 top – Public Domain
49 bottom – Public Domain
50 – © iStockphoto
51 – © Kim Taylor | naturepl.com
52 – Public Domain
53 – © Willem Kolvoort | naturepl.com
54 – Public Domain
55 bottom – © Alex Wilds
55 middle – Public Domain
56 – © Dreamstime
57 – © Jeff Rotman | naturepl.com
58 – © Creative Commons | Richard Ling
59 top – © Creative Commons | Nico Michiels
59 bottom – Public Domain
60 – © Nature Production | naturepl.com
61 – © Creative Commons | Takahashi
62 – Public Domain
64 – © Dreamstime
65 top – © Georgette Douwma | naturepl.com
65 bottom – Public Domain
66 – Public Domain
67 – © David Shale | naturepl.com
68 – Public Domain
69 – Public Domain
70 – Public Domain
71 – © Creative Commons | OpenCage
72 – © Ron Webb
73 – Public Domain
74 – Public Domain
75 – © Creative Commons | Encyclopaedia of Life (eol.org)
76 – © Creative Commons | Dr Tony Ayling
77 – © Jennifer Crites
78 – Public Domain
79 – Public Domain
80 – © Doug Perrine | naturepl.com
81 – Public Domain
82 – © Creative Commons | Sage Ross
83 top – © Creative Commons | Frédéric Loreau
83 top – © Dreamstime
83 bottom – Public Domain
84 – Public Domain
85 middle – Public Domain
85 bottom – © Creative Commons | Greenpeace
86 – Public Domain
87 bottom – Public Domain
87 top – © STROINSKI.PL
88 – © Max Gibbs
89 – Public Domain
90 – © Daniel Heuclin | Photoshot
92 – © Peter Scoones | naturepl.com
93 top – Public Domain
93 bottom – © Hilary Jeffkins | naturepl
94 – © Dietmar Nill | naturepl
95 – © iStockphoto
96 – © Peter Oxford | Naturepl.com
97 – Public Domain
98 – Public Domain
100 – Public Domain
101 right – © Creative Commons | AshLin
101 left – © Tim MacMillan | John Downer | naturepl.com
102 – Public Domain
103 – Public Domain
104 – Public Domain
105 – © Creative Commons | Zylorian
106 – Public Domain
107 – Public Domain
108 – Public Domain
110 right – Public Domain
110 left – Public Domain
111 – Public Domain
112 – © naturepl.com
113 – Public Domain
114 – © Creative Commons | Brian Gratwicke
115 – © Jouan & Rius | naturepl.com
116 top – Public Domain
116 bottom© Jim Clare | naturepl.com
117 – © Mike Potts | naturepl.com
118 – Public Domain
119 – Public Domain
120 – © Mark Carwardine | naturepl.com
121 – Public Domain
122 left – © Andy Rouse | naturepl.com
122 right – Public Domain
123 – © Pete Oxford | Naturepl.com
124 – Public Domain
125 – Public Domain
126 – Public Domain
127 – Public Domain
128 – Public Domain
130 – © Nicholas Smythe | Science Photo Library
131 – © Creative Commons | Stig Nygaard
132 – Public Domain
133 (All) – © Creative Commons | Nobu Tamura
134 – © Todd Pusser | naturepl.com
135 (All) – Public Domain
136 – © Doug Allan | naturepl.com
137 top – © Ingo Arndt | naturepl.com
137 bottomPublic Domain
138 – © Lynn M. Stone | naturepl.com
139 – Public Domain
140 – © Barry Mansell | naturepl.com
141 – Public Domain
142 – Public Domain
143 – © Creative Commons | VigilancePrime
144 – © Creative Commons | José Luis Bartheld
145 – © Creative Commons | Wallace63
146 – © iStockphoto
147 – Public Domain
148 – © Neil Bromhall | naturepl.com
149 – Public Domain
150 – © Mark Carwardine | naturepl.com
151 – Public Domain
152 – © iStockphoto
153 – Public Domain
154 – © Nick Garbutt | naturepl.com
155 – Public Domain
156 – Public Domain
157 (All) – Public Domain
158 – © Phil Savoie | naturepl.com
159 – Public Domain
160 – © Phil Dotson | Science Photo Library
161 (All) – Public Domain
162 – © Karl Ammann | naturepl.com
163 – © Karl Ammann | naturepl.com
164 – Public Domain
165 (All) – Public Domain
166 – Public Domain
167 (All) – Public Domain
168 – Public Domain
169 – Public Domain
170 – Public Domain
171 – Public Domain
172 – © naturepl.com
173 top – Public Domain
173 bottom© Creative Commons | yarra64
174 – © Creative Commons | Jwebster 102
176 – © Nicholas Smythe | Science Photo Library
177 – © Creative Commons | J.M. Garg
178 – Public Domain
179 – © Paul Hobson | naturepl.com
180 – Public Domain
181 – Public Domain
182 top – © Creative Commons | Wilfried Berns
182 bottom – (2)Public Domain
183 – © Inaki Relanzon | naturepl.com
184 – © Anup Shah | naturepl.com
185 (all) – Public Domain
186 – © Matthew Maran | naturepl.com
187 – © Dave Watts | naturepl.com

装丁｜松田行正十杉本聖士
翻訳協力｜株式会社トランネット

世界の奇妙な生き物図鑑

2014年2月15日　初版第1刷発行
2014年8月1日　初版第2刷発行

著者　サー・ピルキントン=スマイズ

訳者　岩井木綿子

発行者　澤井聖一

発行所　株式会社エクスナレッジ
〒106-0032
東京都港区六本木7-2-26
http://www.xknowledge.co.jp/

編集　TEL 03-3403-1609　FAX 03-3403-1875
販売　TEL 03-3403-1321　FAX 03-3403-1829